EDITORIAL PRESENÇA

R. Augusto Gil 35-A - Apartado 14031
1064 LISBOA CODEX
Tel. 793 41 91 Fax 797 75 60
E-Mail: editpresenca@mail.telepac.pt

A POMBA

PATRICK SÜSKIND

A POMBA

Tradução de Teresa Balté

EDITORIAL PRESENÇA

FICHA TÉCNICA

Título original: *Die Taube*
Autor: *Patrick Süskind*
All rights reserved
Copyright © 1987 by Diogenes Verlag AG Zürich
Tradução © Editorial Presença, Lda., Lisboa, 1987
Tradução: *Teresa Balté*
Capa: *Fernando Felgueiras*
Composição, impressão e acabamento: *Guide — Artes Gráficas, Lda.*
1.ª edição, Lisboa, 1987
2.ª edição, Lisboa, 1995
3.ª edição, Lisboa, Junho, 1997
Depósito legal n.º 111 373/97

Reservados os direitos
para Portugal à
EDITORIAL PRESENÇA
Rua Augusto Gil, 35-A   1000 LISBOA
E-mail: editpresenca@mail.telepac.pt

É interdita a venda desta edição no Brasil

Quando lhe aconteceu isto da pomba, que de um dia para o outro mudou radicalmente a sua existência, já Jonathan Noel estava com mais de cinquenta anos, havia uns bons vinte que levava uma vida igual e sem incidentes e nunca lhe teria passado pela cabeça que ainda lhe pudesse vir a acontecer qualquer coisa de importante, senão morrer. E dava-se por muito satisfeito com a sua sorte, pois não gostava de acontecimentos e detestava em particular aqueles que lhe abalavam o equilíbrio interior e perturbavam a ordem externa da vida.

A maior parte dos acontecimentos deste género situava-se, graças a Deus, num passado remoto, na obscura pré-história dos seus anos de infância e de juventude, e ele preferia já não se lembrar deles, e se o fazia era com profundo constrangimento. Lembrava-se de uma tarde de Verão em Charenton, por exemplo, em Julho de 1942, quando ao voltar da pesca entrou em casa — nesse dia houvera uma trovoada e a seguir chovera, depois de longas horas de calor, no regresso ele tirara os sapatos, caminhara descalço no asfalto quente e húmido e patinhara nas poças, um prazer indescritível... — voltara portanto da pesca e entrara em casa, e correra para a cozinha, onde esperava encontrar a mãe a cozinhar, e qual não fora o seu espanto ao descobrir que a mãe já lá não estava, só estava o seu avental, pendurado no espaldar da cadeira. A mãe partira, disse o pai, tivera de ir viajar e não regressaria tão cedo. Levaram-na, disseram os vizinhos, levaram-na primeiro para o Vélodrome d'Hiver e depois para o campo de concentração de Drancy, daí segue-se para leste, de onde ninguém torna. E Jonathan não entendeu nada do que acontecera, o acontecimento desorientara-o por completo, e passados uns dias o pai desaparecera também, e de repente Jonathan e a irmãzinha acharam-se num comboio que se dirigia para sul, e de noite uns homens desconhecidos conduziram-nos através de um prado, arrastaram- -nos por um bosque e meteram-nos noutro comboio que se dirigia para sul, para um sítio distante, in- concebivelmente distante, e um tio que ainda nunca tinham visto foi buscá-los a Cavaillon, trouxe-os para a sua quinta perto de Puget, uma aldeola no vale do Durance, e conservou-os aí escondidos até ao fim da guerra. Depois pô-los a trabalhar nas hortas.

No princípio dos anos cinquenta — Jonathan começava a tomar gosto pela vida do campo — o tio exigiu que se alistasse na tropa e Jonathan, obe- diente, cumpriu três anos de serviço militar. No pri- meiro ano tratou unicamente de se habituar às vi- cissitudes da vida em rebanho, no quartel. No se- gundo ano embarcaram-no para a Indochina. A maior parte do terceiro ano passou-a no hospital, com um tiro num pé e outro numa perna e uma disenteria amebiana. Quando na Primavera de 1954 regressou a Puget a irmã desaparecera, emigrara para o Canadá, dizia-se. O tio exigiu então que Jonathan se casasse de imediato com uma rapariga chamada Marie Baccouche, natural de Lauris, uma aldeia vizinha, e Jonathan, que nunca a vira antes, fez briosamente e até de bom grado o que lhe mandavam, pois embora tivesse noções imprecisas sobre o casamento esperava encontrar nele, por fim, aquela existência monótona, calma e sem incidentes que era a sua única aspiração. Mas logo após quatro meses Marie deu à luz um rapaz e, nesse mesmo Outono, fugiu com um negociante de frutas, um tunisino estabelecido em Marselha.

De todas estas ocorrências Jonathan Noel concluiu que não se podia confiar nas pessoas e que, para se viver em paz, era necessário mantê-las à distância. E porque agora se tornara também alvo da troça da aldeia, o que o incomodava não pela troça em si mas pela notoriedade pública que daí lhe advinha, tomou pela primeira vez na vida uma decisão sua: foi ao Crédit Agricole, levantou as economias, fez a mala e partiu para Paris.

Teve então muita sorte em duas coisas. Arranjou trabalho como guarda de um banco, na Rue de Sèvres, e encontrou alojamento, um chamado *chambre de bonne*, no sexto andar de uma casa situada na Rue de la Planche. Para se chegar ao quarto atravessava-se o pátio das traseiras, subia-se uma estreita escada de serviço e metia-se por um corredos acanhado, escassamente iluminado por uma janela. No corredor havia duas dúzias de quartinhos com portas numeradas, pintadas de cinzento, e mesmo ao fundo ficava o número 24, o quarto de Jonathan. Media três metros e quarenta de comprimento por dois metros e vinte de largura e dois e meio de altura e dispunha, como únicas comodidades, de uma cama, uma mesa, uma cadeira, uma lâmpada, um cabide e nada mais. Só nos anos sessenta se reforçou a instalação eléctrica de modo a permitir a utilização de um prato eléctrico e de um irradiador, se trouxe água canalizada até aos quartos e se apetrechou cada um deles com um lavatório e um esquentador individuais. Antes disso todos os moradores das águas-furtadas que não possuíssem uma lamparina clandestina comiam refeições frias, dormiam em quartos frios e lavavam as peúgas, a pouca louça que tinham e as suas pessoas com água fria, num único lavatório existente no corredor, junto à porta da retrete comum. Nada disto incomodava Jonathan. O que ele procurava não era conforto mas um refúgio seguro que fosse dele e só dele, que o abrigasse das desagradáveis surpresas da vida e de onde ninguém o pudesse expulsar. E quando entrara pela primeira vez no quarto número 24, soubera logo: É isto mesmo, foi isto no fundo que sempre quiseste, é aqui que vais ficar. (Tal como dizem suceder a alguns homens com o chamado amor à primeira vista, que olham para uma mulher desconhecida e subitamente des-

10

cobrem que ela é a mulher da sua vida, aquela que hão-de possuir e acompanhar até ao fim dos seus dias.)

Jonathan Noel pagava por este quarto uma renda mensal de cinco mil francos antigos, deixava-o todas as manhãs para ir trabalhar na vizinha Rue de Sèvres, regressava à noite com pão, chouriço, maçãs e queijo, comia, dormia e era feliz. Ao domingo nunca saía do seu quarto: limpava-o e fazia a cama de lavado. Assim vivia tranquilo e satisfeito, ano após ano, década após década.

Durante este período houve factores externos que se alteraram, o montante da renda, por exemplo, e o tipo de inquilinos. Nos anos cinquenta ainda moravam muitas criadas nos outros quartos, e casais jovens e alguns reformados. Mais tarde assistiu-se a um constante vaivém de espanhóis, portugueses e norte-africanos. A partir dos finais de setenta predominaram os estudantes. Nos últimos tempos já nem todas as vinte e quatro divisões se alugavam. Muitas delas estavam vazias ou eram utilizadas pelos seus proprietários, que habitavam nas elegantes residências dos andares inferiores, como arrecadações ou quartos de hóspedes, que só ocasionalmente serviam. O quarto de Jonathan, o número 24, tornara-se no decurso dos anos uma casa relativamente confortável. Jonathan comprara uma cama nova, instalara um armário, revestira os sete metros quadrados e meio de sobrado com uma alcatifa cinzenta, forrara o recanto onde lavava e cozinhava com um belo papel de parede vermelho brilhante. Possuía um aparelho de rádio, uma televisão e um ferro de engomar. Já não guardava os alimentos num saquinho pendurado à janela mas num minúsculo frigorífico sob o lavatório, e agora já nem no pino do Verão a manteiga se lhe derretia ou o presunto secava. À cabeceira da cama colocara uma prateleira onde tinha nem mais nem menos do que dezassete livros, um dicionário médico de bolso, em três volumes, umas quantas publicações primorosamente ilustradas sobre o Homem de Cromagnon, as técnicas de fundição da Idade do Bronze, o Egipto antigo, os Etruscos e a Revolução Francesa, um livro sobre veleiros, um sobre bandeiras, um sobre a fauna tropical, dois romances de Alexandre Dumas Pai, as memórias de Saint-Simon, um livro de cozinha com receitas de guisados, o «Petit Larousse» e o «Breviário para guardas e pessoal de segurança, com especial referência às regras para a utilização da pistola de serviço». Debaixo da cama estavam armazenadas doze garrafas de vinho tinto, entre as quais uma garrafa de *Château Cheval Blanc grand cru classé*, que reservava para o dia da sua reforma, no ano de 1998. Um elaborado sistema de candeeiros permitia-lhe ler o jornal sentado em três pontos diferentes do quarto — aos pés da cama, à cabeceira e ainda à mesinha — sem que a luz lhe batesse nos olhos e sem que se projectassem sombras no jornal.

É claro que com todas estas aquisições o quarto se tornara ainda mais pequeno, crescera para dentro como uma concha que tivesse acumulado demasiada madrepérola, e, com os seus vários e sofisticados apetrechos, mais parecia o camarote de um navio ou o compartimento de uma luxuosa carruagem-cama do que um simples *chambre de bonne*. Ao fim de trinta anos, porém, ainda conservava a sua qualidade essencial. Fora e continuava a ser para Jonathan a sua ilha segura no mundo inseguro, o seu apoio certo, o seu refúgio, a sua amada, sim, a sua amada, a sua pequena câmara que ternamente o envolvia quando ele à noite regressava, que o aquecia e protegia, que lhe alimentava o corpo e a alma, que se encontrava sempre ali, presente, quando ele precisava dela, e não o abandonava. Era de facto a única coisa de confiança que lhe surgira na vida. E por isso ele nunca pensara em deixá-la, nem mesmo agora que já estava com mais de cinquenta anos e lhe custava às vezes um pouco subir a longa escada, agora que o seu ordenado lhe teria permitido alugar um verdadeiro apartamento, com cozinha própria, com uma retrete e uma casa de banho independentes. Jonathan permanecia fiel à sua amada, preparava-se inclusivamente para estreitar ainda mais os laços mútuos que os ligavam. Queria torná-los indissolúveis e eternos e, para tanto, resolvera adquiri-la. Já fechara o negócio com a senhora Lassalle, a proprietária. Custar-lhe-ia cinquenta e cinco mil francos novos. Quarenta e sete mil estavam pagos. Os restantes oito mil francos ficariam liquidados até ao fim do ano. E depois ela pertencer-lhe-ia e nada neste mundo poderia jamais separá-los, a eles, Jonathan e o seu querido quarto, até que a morte os apartasse.

Eis o ponto da situação em Agosto de 1984, quando, numa sexta-feira, aconteceu isto da pomba.

Jonathan acabara de se levantar. Calçara os chinelos e enfiara o roupão para, como todas as manhãs antes de fazer a barba, se dirigir à retrete comum. Antes de abrir a porta encostou o ouvido à almofada e pôs-se à escuta, não fosse haver alguém no corredor. Não gostava de encontrar os vizinhos, e muito menos de manhã, em pijama e roupão, e ainda muito menos a caminho da retrete. Deparar com a casa de banho ocupada teria sido bastante desagradável; mas a ideia de se encontrar com outro inquilino *diante* da casa de banho era francamente acabrunhante e horrorizava-o. Achara-se nessa situação uma só vez, no Verão de 1959, vinte e cinco anos atrás, e a simples lembrança arrepiava-o: o susto recíproco ao descobrirem-se um ao outro, a simultânea perda do anonimato num propósito que por natureza requeria anonimato, o recuar e tornar a avançar simultâneos, a mútua troca de amabilidades, a seguir ao senhor, por quem é, oh, não, depois de si, *monsieur*, não tenho a menor pressa, não, primeiro o senhor, insisto — e tudo isto em pijama! Não, não queria voltar a passar pelo mesmo; não voltara a passar pelo mesmo graças à sua escuta profiláctica. Escutando via o corredor através da porta fechada. Conhecia todos os ruídos do andar em que vivia. Era capaz de interpretar cada rangido, cada estalo, cada leve murmurar ou chapinhar, e até o silêncio. E sabia seguramente — agora, após breves segundos de escuta, com o ouvido colado à almofada da porta — que ninguém se encontrava no corredor, que a casa de banho estava livre, que ainda tudo dormia. Fez girar com a mão esquerda o trinco do fecho de segurança, com a direita a maçaneta da fechadura de mola, a lingueta recuou, deu um ligeiro puxão, e a porta abriu-se.

Já quase transpusera a soleira, levantara já o pé, o esquerdo, a perna já começara a dar o passo — quando a viu. Estava pousada diante da porta, a menos de vinte centímetros da soleira, iluminada pelo pálido reflexo da luz matinal que entrava pela janela. Estava encolhida, com as patas de garras vermelhas assentes no pavimento do corredor, no ladrilho encarnado, cor de sangue de boi, com a sua plumagem lisa, cinzenta-chumbo: a pomba.

Inclinara a cabeça para o lado e fitava Jonathan com o olho esquerdo. Um olho terrível de olhar, um pequeno disco castanho, negro no centro, que parecia pregado às penas da cabeça como um botão, sem pestanas, sem sobrancelhas, completamente nu, descaradamente apontado para fora e monstruosamente aberto; mas, ao mesmo tempo, havia no olho uma certa astúcia dissimulada; e, ao mesmo tempo também, dir-se-ia não aberto nem astuto mas pura e simplesmente inanimado, tal como a lente de uma máquina fotográfica, que

15

absorve toda a luz do exterior e nada deixa trans-
parecer do seu íntimo. Era um olho sem brilho,
sem fulgor, sem uma centelha de vida. Era um olho
sem olhar. E fitava Jonathan.

Se lhe perguntassem o que sentira naquele momento, teria respondido que apanhara um susto de
morte, o que seria incorrecto, pois o susto só veio
a seguir. Apanhou foi uma surpresa de morte.

Durante uns cinco ou dez segundos — que lhe
pareceram uma eternidade — permaneceu na soleira da porta como que petrificado, com a mão na
maçaneta e o pé levantado a meio do passo, incapaz
de avançar ou de retroceder. Depois houve um pequeno movimento. Talvez porque a pomba se
apoiasse na outra pata, talvez porque se arrufasse
um pouco — o facto é que de súbito o seu corpo
estremeceu e duas pálpebras, uma que subia e outra que descia, se fecharam sobre o olho, não pálpebras propriamente ditas mas antes uma espécie
de palas de borracha que o engoliram como dois
lábios surgidos do nada. Por um instante o olho
eclipsou-se. E só então Jonathan ficou transido de
medo, só então os cabelos se lhe eriçaram de puro
horror. Saltou para trás, para dentro do quarto, e
bateu com a porta antes que o olho da pomba se
tornasse a abrir. Fez girar o fecho de segurança,
deu três passos cambaleantes em direcção à cama
e sentou-se nela a tremer, com o coração a palpitar
desordenadamente. Tinha a testa gelada e sentia o
suor escorrer-lhe da nuca e ao longo da espinha.

16

A sua primeira ideia foi que ia ter um enfarte ou uma apoplexia ou pelo menos um colapso cardíaco, estás na idade deles, pensou, depois dos cinquenta o menor incidente pode redundar em desastre. E deixou-se cair de lado na cama e cobriu com a manta os ombros que tiritavam e esperou pela dor espasmódica, pela pontada na região do peito e das espáduas (lera na sua enciclopédia médica de bolso que estes eram os sintomas inconfundíveis do enfarte) ou pelo lento obnubilar da consciência. Mas nada disso aconteceu. O ritmo cardíaco normalizou-se, o sangue voltou a irrigar regularmente a cabeça e os membros, e os sinais de paralisação típicos do ataque apopléctico não sobrevieram. Jonathan conseguia mexer os dedos dos pés e das mãos e contrair os músculos da face, um indício de que tanto orgânica como neurologicamente as coisas se encontravam mais ou menos em ordem.

Em vez disso rodopiava agora no seu cérebro um turbilhão de ideias assustadoras e totalmente desconexas, como um bando de corvos negros gritando e adejando dentro da sua cabeça, «Estás acabado!» grasnavam, «Estás velho e acabado, deixas que uma pomba te pregue um susto de morte, que uma pomba te escorrace para o teu quarto, te leve a melhor, te mantenha preso. Vais morrer, Jonathan, vais morrer, se não já, muito em breve, e orientaste mal a tua vida, estragaste-a, pois para a transtornar basta uma pomba, é preciso que a mates, mas não consegues matá-la, não consegues matar uma mosca, bem, uma mosca talvez, uma mosca

17

sim, ou um mosquito ou um escaravelho, mas uma criatura de sangue quente e com meio quilo de peso como uma pomba, nunca, antes dar um tiro numa pessoa, pum!, é rápido, só faz um pequeno orifício de oito milímetros, é limpo e é permitido, é permitido em legítima defesa, parágrafo primeiro do regulamento dos guardas armados, é até um dever, se matares a tiro uma pessoa ninguém te censura, antes pelo contrário, mas uma pomba?, como se mata a tiro uma pomba?, uma pomba esvoaça, não se lhe acerta com facilidade, é um acto desordeiro disparar sobre uma pomba, é proibido, leva à apreensão da arma de serviço, à perda do emprego, vais parar à prisão se disparares sobre uma pomba, não, não podes matá-la, mas viver, viver com ela também não podes, nunca, numa casa onde mora uma pomba ninguém pode continuar a viver, uma pomba é o cúmulo da anarquia e do caos, uma pomba voa pelos sítios mais imprevisíveis, crava as garras e dá bicadas nos olhos, uma pomba está sempre a sujar tudo e a sacudir bactérias nocivas e vírus de meningite, e não fica sozinha, uma pomba atrai outras pombas, acasala e reproduz-se a uma velocidade louca, vais ficar cercado por um exército de pombas, nunca mais vais poder sair do quarto, vais morrer à fome, vais sufocar nos teus próprios excrementos, vais ter de te atirar da janela e estatelar-te no passeio, não, serás demasiado cobarde, permanecerás fechado no teu quarto a gritar por socorro, a gritar pelos bombeiros, para que tragam escadas e te salvem de uma pomba, de uma pomba!, vais ser a risota do prédio, a risota de todo o bairro, 'Olhem o senhor Noel!' vão exclamar e apontar com os dedos, 'Olhem, o senhor Noel pede que o salvem de uma pomba!', e vão mandar-te para uma clínica psiquiátrica: ó Jonathan, Jonathan, a tua situação é calamitosa, estás perdido, Jonathan!»

Eis o que as vozes gritavam e grasnavam dentro da sua cabeça, e Jonathan sentiu-se tão confuso e desesperado que fez uma coisa que não fazia desde os tempos de menino, pôs as mãos em oração e rezou «meu Deus, meu Deus, porque me abandonaste? porque me castigas assim? Pai nosso, que estás no céu, salva-me desta pomba. Ámen!» Não foi, como vemos, uma oração a preceito mas um atabalhoado de fragmentos, uma amálgama de reminiscências da sua educação religiosa rudimentar. Não obstante ajudou, pois obrigou-o a um certo grau de concentração mental que dissipou a confusão que lhe ia no espírito. E houve outra circunstância que o ajudou ainda mais. Mal acabou de rezar a sua oração sentiu uma tal necessidade de urinar que teve a certeza de que molharia a cama onde continuava deitado, o belo colchão de molas ou até mesmo a sua rica alcatifa se, nos segundos imediatos, não se conseguisse aliviar noutro sítio. Então voltou a si por completo. Levantou-se a gemer, lançou à porta um olhar desesperado... — não, não era capaz de transpor esta porta, mesmo que o maldito pássaro já se tivesse ido embora não chegaria a tempo à casa de banho —, aproximou-se do lavatório, afastou violentamente o roupão, baixou as calças do pijama, abriu a torneira e urinou na bacia.

Nunca fizera semelhante coisa. A simples ideia de urinar assim, sem mais nem menos, para um belo lavatório branco e reluzente de asseio, destinado à sua higiene pessoal e à lavagem da louça, que horror! Se alguma vez lhe tivessem dito que havia de cair tão baixo, que havia de ser fisicamente capaz de cometer um tal sacrilégio, não teria acreditado. E agora, que via a urina fluir sem constrangimentos nem retenções, misturar-se com a água e escoar-se gorgolejante pelo cano, e que experimentava uma maravilhosa sensação de relaxamento no baixo-ventre, irrompiam-lhe dos olhos lágrimas de vergonha. Quando acabou, deixou ainda a água correr durante algum tempo e esfregou cuidadosamente a bacia com detergente líquido para eliminar todos os vestígios do crime perpetrado. «Uma vez não são vezes», murmurou, como que a pedir desculpa ao lavatório, ao quarto ou a si próprio, «uma vez não são vezes, foi uma situação urgente, excepcional, não vai decerto repetir-se...»

Começava agora a ficar mais calmo. As acções de limpar, de arrumar a garrafa de detergente, de torcer o esfregão — gestos familiares e reconfortantes — restituiram-lhe o senso prático. Consultou o relógio. Passavam escassos segundos das sete e um quarto. Normalmente às sete e um quarto já se barbeara e estava a fazer a cama. O atraso, porém, não era irremediável, se necessário poderia renun-

20

ciar ao pequeno-almoço e recuperar o tempo perdido. Se renunciasse ao pequeno-almoço — calculou — ficaria até com sete minutos de avanço em relação ao horário habitual. O importante era sair do quarto às oito e cinco, o mais que tardasse, pois tinha de entrar no banco às oito e um quarto. Como o conseguiria ignorava, mas, até lá, dispunha ainda de uns últimos três quartos de hora de graça, o que era muito. Três quartos de hora representavam muito tempo para quem acabara de ver a morte à sua frente e escapara por um triz a um enfarte. Representavam o dobro do tempo quando já não se estava sob a pressão imperativa de uma bexiga cheia. Decidiu portanto, antes de mais, proceder como se nada tivesse acontecido e ocupar-se das suas actividades matutinas de sempre. Encheu o lavatório de água quente e começou a barbear-se.

Enquanto se barbeava foi raciocinando sobre os factos. «Jonathan Noel», disse de si para si, «foste soldado na Indochina durante dois anos e enfrentaste com êxito várias situações difíceis, se usares de toda a tua coragem e de todo o teu engenho, se te munires das armas adequadas e se a sorte te favorecer, hás-de conseguir sair do quarto. Mas se o conseguires que fazes depois? Que fazes se conseguires passar pelo bicho medonho que guarda a tua porta, alcançar as escadas incólume e pôr-te a salvo? Poderás ir trabalhar, poderás chegar ileso ao fim do dia — mas que fazes depois? Para onde vais esta noite? Onde dormes?» Porque de uma coisa tinha ele a certeza absoluta, de não querer encontrar a pomba uma segunda vez — se lhe escapasse da primeira —, de em circunstância nenhuma poder viver com a pomba debaixo do mesmo tecto, por um dia, uma noite, uma hora que fosse. Convinha-lhe portanto estar preparado para passar essa noite e talvez as seguintes numa pensão, o que significava que deveria levar consigo as coisas da barba, a escova de dentes e roupa interior para mudar. Necessitaria também do livro de cheques e, para maior segurança, da caderneta de poupanças. Tinha mil e duzentos francos no depósito à ordem, o bastante para ficar duas semanas num hotel barato, partindo do princípio de que descobria um. Se, depois disso, a pomba continuasse a bloquear-lhe o quarto, ver-se-ia obrigado a lançar mão das economias. Tinha seis mil francos no depósito a prazo, uma soma considerável. Chegava para se aguentar no hotel meses a fio. E, além de tudo o resto, recebia ainda o seu ordenado de três mil e setecentos francos líquidos mensais. Por outro lado era preciso pagar no fim do ano, à senhora Lassalle, a importância de oito mil francos correspondentes à última prestação do quarto. Do seu quarto. Deste quarto onde já não moraria. Como havia de pedir à senhora Lassalle uma prorrogação do prazo de pagamento? Seria difícil dizer: «*Madame*, não lhe posso pagar os oito mil francos da última prestação pois há meses que vivo num hotel devido a o quarto que lhe pretendo comprar estar bloqueado por uma pomba!» — Seria difícil dizer-lhe isso...

Lembrou-se então de que possuía ainda cinco moedas de ouro, cinco napoleões no valor de uns bons seiscentos francos cada, que adquirira em 1958, durante a guerra da Argélia, com receio da inflação. Não se podia esquecer de levar os cinco napoleões... E possuía também um estreito bracelete de ouro que pertencera à mãe. E o rádio de transistores. E uma elegante esferográfica prateada que o Banco oferecera aos seus empregados pelo Natal. Se vendesse todos estes tesouros e reduzisse as despesas ao mínimo conseguiria não só manter-se no hotel até ao fim do ano mas ainda pagar os oito mil francos à senhora Lassalle. Depois, a partir de 1 de Janeiro, as coisas voltariam a melhorar porque nessa altura já seria proprietário do quarto e não precisaria mais de se preocupar com a renda. E talvez a pomba não sobrevivesse ao Inverno. Quanto tempo vive uma pomba? Dois anos, três anos, dez anos? E se fosse uma pomba velha? Talvez morresse dali a uma semana! Talvez morresse nesse mesmo dia. Talvez até tivesse vindo só para morrer...

A barba estava feita. Esvaziou o lavatório, enxaguou-o, encheu-o novamente, lavou o tronco e os pés, lavou os dentes, esvaziou novamente a bacia e limpou-a com o esfregão. A seguir fez a cama.

Debaixo do armário achava-se uma velha mala de papelão, onde guardava a roupa suja e a levava uma vez por mês à lavandaria. Puxou-a para fora, despejou-a e pô-la em cima da cama. Era a mesma mala com que viajara de Charenton para Cavaillon em 1942, a mesma que trouxera em 1954 para Paris. Ao olhar para cima da cama, para esta velha mala onde agora ia metendo já não roupa suja mas limpa, um par de sapatos, detergente, o ferro de engomar, o livro de cheques e os seus valores — como para uma viagem —, vieram-lhe de novo as lágrimas aos olhos, não de vergonha, desta vez, mas de desespero surdo. Era como se tivesse recuado trinta anos, como se tivesse perdido trinta anos da sua vida.

Quando acabou de fazer a mala faltava um quarto para as oito. Vestiu-se. Primeiro o uniforme do costume: calças cinzentas, camisa azul, casaco de cabedal, cinturão de cabedal, com coldre, boné cinzento, da farda. Depois armou-se para o encontro com a pomba. O que mais lhe repugnava era pensar que ela lhe poderia tocar, picar-lhe nos tornozelos, por exemplo, ou esvoaçar e roçar-lhe com as asas nas mãos ou no pescoço ou até pousar e agarrar-se-lhe ao corpo com os seus dedos afastados curvos. Por isso, em lugar dos sapatos leves, calçou as grossas botas de cano alto, de cabedal e pele de borrego, que só usava em Janeiro ou Fevereiro, enfiou o sobretudo, abotoou-o até acima, enrolou um cachecol de lã à volta do pescoço e do queixo e protegeu as mãos com luvas de pele forradas. Com a mão direita pegou no guarda-chuva. Às oito menos sete achava-se equipado e pronto para se aventurar a sair do quarto.

Tirou o boné e encostou o ouvido à porta. Não se ouvia vivalma. Tornou a pôr o boné, enterrou-o na testa, foi buscar a mala e colocou-a a jeito, junto à porta. Para libertar a mão pendurou o guarda-chuva no braço, apoiou a mão direita na maçaneta e a esquerda no trinco do fecho de segurança, fê-lo girar para trás e entreabriu a porta. Espreitou para o exterior.

A pomba já não estava diante do quarto. Nos ladrilhos onde estivera pousada havia apenas uma nódoa verde-esmeralda do tamanho de uma moeda de cinco francos e uma peninha branca, minúscula, que a corrente de ar provocada pela porta entreaberta agitava ao de leve. Jonathan sentiu um arrepio de nojo. A sua vontade era voltar imediatamente a fechar a porta. O seu instinto natural pedia-lhe que batesse em retirada, que regressasse à segurança do quarto e se afastasse do horror que o esperava lá fora. Só então reparou que não havia apenas uma mas muitas nódoas. Toda a zona do corredor que a sua vista abrangia se encontrava salpicada de dejectos verde-esmeralda, reluzentes e húmidos. E deu-se uma coisa estranha: aquela repugnante profusão de dejectos, ao contrário de agravar a relutância de Jonathan, fortaleceu o seu desejo de reagir. Perante a nódoa isolada e perante a pena isolada teria fugido e fechado a porta para sempre. Mas o facto óbvio de a pomba ter sujado o corredor inteiro — a generalidade do abominável fenómeno —, mobilizou toda a sua coragem. Abriu a porta por completo.

Agora via a pomba. Estava à sua direita, a metro e meio de distância, acachapada a um canto, mesmo ao fundo do corredor. A luz que lhe chegava era tão pouca e o relance que Jonathan lhe deitou foi tão rápido que não pôde perceber se ela se encontrava a dormir ou acordada, se tinha o olho aberto ou fechado. E também não queria saber. Preferia imaginar que nem sequer a avistara. No seu livro sobre a fauna tropical lera uma vez que certos animais, sobretudo os orangotangos, só atacavam os homens quando estes os olhavam nos olhos; se os homens os ignorassem deixavam-nos em paz. Talvez acontecesse o mesmo com as pombas. De qualquer modo Jonathan decidiu proceder como se a pomba já não existisse ou, pelo menos, não tornar a olhar para ela.

Foi empurrando lentamente a mala para o corredor e depois muito lenta e cuidadosamente por entre as nódoas verdes. A seguir abriu o guarda--chuva, segurou-o com a mão esquerda, à frente do peito e da cara, como um escudo, saiu para o corredor, sempre atento aos dejectos que cobriam o chão, e fechou a porta atrás de si. Apesar de todas as intenções de proceder como se nada de anormal se passasse voltou a ficar com medo e com o coração aos saltos e, quando os seus dedos enluvados não conseguiram extrair logo a chave do bolso, enervou-se e começou a tremer tanto que quase deixou escapar o guarda-chuva e, ao agarrá-lo com a mão direita para o entalar entre o ombro e a cara, a chave caiu realmente no chão, e por um triz que não acertava em cheio numa das nódoas, e ele precisou de se curvar para a apanhar e, quando por fim a tinha bem segura, estava tão excitado que só à terceira vez foi capaz de a enfiar na fechadura e de lhe dar duas voltas. Nesse momento pareceu-lhe ouvir esvoaçar atrás de si... ou fora apenas o guarda-chuva, de encontro à parede?... Mas depois tornou a ouvir claramente um bater de asas seco e rápido e entrou em pânico. Arrancou a chave da fechadura, agarrou na mala e desatou a correr. O guarda-chuva aberto ia roçando pela parede, a mala embatendo nas portas dos outros quartos, a meio do corredor a janela aberta barrava-lhe o caminho, forçou a passagem, puxou tão violenta e desastradamente pelo guarda-chuva que o pano se esfarrapou, não fez caso, tudo lhe era indiferente, não queria senão fugir, fugir, fugir.

Só quando alcançou o patamar da escada é que se deteve um momento para fechar o guarda-chuva que o estorvava, e olhou para trás: os raios brilhantes do sol matinal entravam pela janela e recortavam na penumbra do corredor um bloco de luz de contornos nítidos. Ver através dele era quase impossível e foi preciso semicerrar os olhos e esforçar a vista para descortinar lá muito ao fundo a pomba, que se destacava do canto escuro, dava uns quantos passos apressados e bamboleantes na sua direcção e se tornava a instalar exactamente diante da porta do seu quarto.

Jonathan virou-lhe as costas apavorado e desceu as escadas. Nesse instante teve a certeza de que nunca mais conseguiria regressar.

À medida que descia os degraus ficava mais calmo. No patamar do segundo andar uma súbita onda de calor veio lembrar-lhe que ainda estava de sobretudo, cachecol e botas de pele. De um momento para o outro a porta da cozinha de uma das casas elegantes abrir-se-ia e surgiria na escada de serviço uma criada, para ir às compras, ou o senhor Rigaud, para pôr à porta as garrafas de vinho vazias, ou até mesmo a senhora Lassalle, para fazer o que quer que fosse — levantava-se cedo, a senhora Lassalle, e já se encontrava a pé, o aroma penetrante do seu café enchia as escadas —, e a senhora Lassalle, portanto, abriria a porta da cozinha e depararia com ele, Jonathan, embrulhado naquela grotesca fatiota de Inverno numa radiosa manhã de Agosto — a situação seria tão constrangedora que não a poderia ignorar, teria de se explicar, mas como?, teria de inventar uma mentira, mas qual? Não havia explicações plausíveis para o seu aspecto naquele momento. Julgá-lo-iam, com toda a certeza. Talvez fosse doido.

Pousou a mala no chão, retirou dela os sapatos e libertou-se rapidamente das luvas, do sobretudo, do cachecol e das botas; calçou os sapatos, arrumou o cachecol, as luvas e as botas na mala e pendurou o sobretudo no braço. Assim, pensou, já não precisaria de justificar a sua existência perante ninguém. E, se o interpelassem, poderia sempre dizer que ia levar a roupa à lavandaria e pôr o sobretudo a limpar.

No pátio deu de caras com a porteira que acabava de entrar, transportando num carrinho os caixotes de lixo vazios que recolhera da rua. Sentiu-se imediatamente apanhado em flagrante, parou imediatamente, indeciso. Não podia fugir para o vão das escadas e esconder-se no escuro, ela já o vira, tinha de avançar. «Bom dia, senhor Noel», disse ela, quando ele se aproximou num passo deliberadamente enérgico.

«Bom dia, senhora Rocard», murmurou ele ao passar. Mais não falavam. Nos últimos dez anos — desde que ela viera para o prédio — nunca lhe dissera mais do que «Bom dia, *madame*» e «Boa noite, *madame*» e «Obrigado, *madame*», quando ela lhe entregava o correio. Não que tivesse qualquer coisa contra ela. Não era uma pessoa desagradável. Não era diferente da predecessora e da pré-predecessora. Como todas as porteiras tinha uma idade indefinível entre os quarenta e muitos e os sessenta e muitos anos; como todas as porteiras tinha um andar arrastado, uma figura avantajada, uma tez branca como um verme e cheirava a mofo. Quando não andava a levar ou a trazer caixotes de lixo no carrinho, a limpar a escada ou a fazer compras à pressa, sentava-se à luz da lâmpada fluorescente no seu pequeno cubículo, na passagem entre a rua e o pátio, ligava a televisão, costurava, engomava, cozinhava e embriagava-se com vinho tinto ordinário e vermute, como todas as outras porteiras. Não, não tinha realmente nada contra ela. Só não gostava de porteiras, em geral, porque as porteiras eram pessoas que, por profissão, estavam permanentemente a observar as outras pessoas. E a senhora Rocard, em especial, era a pessoa que estava permanentemente a observá-lo a ele, Jonathan, em especial. Era completamente impossível passar pela senhora Rocard sem lhe chamar a atenção, mesmo que essa atenção se limitasse a um brevíssimo e quase imperceptível erguer de olhos. E até quando adormecia sentada na cadeira do seu cubículo — o que em regra ocorria ao princípio da tarde e depois do jantar —, bastava o leve ranger da porta do prédio para que despertasse por alguns segundos e observasse quem passava. Ninguém no mundo o observava com maior frequência e minúcia do que a senhora Rocard. Jonathan não tinha amigos. No Banco fazia, por assim dizer, parte do mobiliário. Os clientes consideravam-no um ornamento, não um homem. No supermercado, na rua, no autocarro (quando é que ele andava de autocarro?!) a multidão assegurava-lhe o anonimato. Só a senhora Rocard, e apenas ela, o conhecia e reconhecia todos os dias e lhe dedicava pelo menos duas vezes por dia a sua atenção ostensiva. Pôde assim reunir uma série de informações íntimas sobre a sua vida, tais como: o fato que usava; quantas vezes por semana mudava de camisa; se lavara ou não a cabeça; o que trazia para casa, para o jantar; se recebia ou não correspondência e de quem. E embora Jonathan, como já se disse, não tivesse realmente nada contra a pessoa da senhora Rocard, e embora soubesse muito bem que os seus olhares indiscretos não eram de modo algum fruto da sua curiosidade mas da sua consciência profissional, nem por isso deixava de os entender como uma censura muda e, sempre que passava por ela — mesmo depois de tantos anos —, sentia agitar-se dentro de si uma súbita e fervilhante onda de indignação: Por que diabo está a reparar de novo em mim? Por que estarei de novo a ser examinado? Por que é que não se decide a respeitar a minha integridade e não me ignora? Por que é que as pessoas são tão importunas?

E como nesse dia, devido ao que acontecera, estava particularmente susceptível e convencido de que trazia consigo, bem à mostra, a miséria da sua existência sob a forma de uma mala e de um sobretudo, os olhares da senhora Rocard doeram-lhe particularmente e o «Bom dia, senhor Noel!» com que ela o cumprimentou soou-lhe ao mais puro escárnio. E a onda de indignação que até então sempre soubera dominar transbordou de repente, engrossou e transformou-se em verdadeira fúria, e ele fez uma coisa que nunca fizera: parou, depois de já ter passado pela senhora Rocard, pousou a mala no chão, colocou em cima o sobretudo e virou-se; virou-se, energicamente resolvido a reagir por fim e de qualquer maneira à impertinência do seu olhar e do seu cumprimento. Não sabia ainda o que ia fazer ou dizer, quando se dirigiu para ela. Só sabia *que* ia fazer e dizer qualquer coisa. A onda transbordante da sua indignação impelia-o e a sua coragem era ilimitada.

Ela descarregara os caixotes de lixo e preparava-se para regressar ao seu cubículo, quando ele a apanhou praticamente no meio do pátio. Ficaram parados a cerca de meio metro um do outro. Nunca vira de tão perto a sua cara de verme. A pele das pequenas bochechas pareceu-lhe muito delicada, como seda velha e quebradiça, e os olhos, olhos castanhos, vistos àquela distância perderam toda a impertinência agressiva, reflectindo apenas uma certa doçura e uma timidez quase ingénua. Jonathan, porém, não se deixou impressionar pela descoberta de tais pormenores — que obviamente pouco se coadunavam com a ideia que formara da senhora Rocard. Levou os dedos ao boné, para imprimir um cunho mais oficial à sua entrada em cena, e falou, com uma nota de aspereza na voz: «*Madame!* Tenho umas palavras a dizer-lhe.» (Nesta altura continuava ainda sem saber ao certo o que iria dizer.)

«Sim, senhor Noel?» disse a senhora Rocard, com um ligeiro sobressalto.

Parece um pássaro, pensou Jonathan; um pequeno pássaro cheio de medo. E repetiu a sua interpelação em tom ríspido: «*Madame,* o que tenho a dizer-lhe é o seguinte...», para logo escutar, surpreendido, a frase que a sua indignação lhe ditava e os lábios iam involuntariamente pronunciando: «Está um pássaro diante do meu quarto, *madame*», e, mais concretamente, «uma pomba, *madame*. Está pousada nos ladrilhos, diante do meu quarto». E só então foi capaz de refrear o discurso que lhe brotava do inconsciente e orientá-lo num determinado sentido, ao acrescentar em jeito de explicação: «A pomba, *madame*, deixou o corredor do sexto andar todo sujo de excrementos.»

A senhora Rocard mudou várias vezes de posição, apoiando-se ora num pé ora no outro, inclinou a cabeça um pouco mais para trás e perguntou: «De onde veio a pomba, *monsieur*?» «Não sei», respondeu Jonathan. «Provavelmente entrou pela janela do corredor. A janela encontra-se aberta. A janela deve permanecer sempre fechada. É o que manda o regulamento do prédio.»

«Talvez um dos estudantes a abrisse», disse a senhora Rocard, «por causa do calor».

«Talvez», disse Jonathan. «Mas mesmo assim deve permanecer fechada. Sobretudo no Verão. Se houver uma trovoada pode bater e os vidros partem-se. Como no Verão de 1962. Nessa ocasião a substituição do vidro custou cento e cinquenta francos. Ficou então estipulado que a janela devia permanecer sempre fechada. É o que manda o regulamento.»

Apercebia-se muito bem de que a sua insistência no regulamento do prédio era um tanto ou quanto ridícula. Tão-pouco lhe interessava saber como é que a pomba arranjara maneira de entrar. Não queria aprofundar a questão da pomba, era um problema terrível e dizia-lhe unicamente respeito. Pretendera dar largas à sua indignação contra os olhares impertinentes da senhora Rocard, mais nada, e isso conseguira-o com as primeiras frases.

Agora a indignação passara. Agora não sabia como continuar.

«Enxota-se a pomba outra vez e fecha-se a janela», disse a senhora Rocard. Disse-o como se se tratasse da coisa mais simples deste mundo e como se depois tudo regressasse à normalidade. Jonathan ficou calado. Tinha o olhar preso no fundo dos olhos dela e sentia-se prestes a submergir, como num pântano castanho e macio, e precisou de fechar os olhos durante um segundo para se tornar a soltar e de pigarrear para reencontrar a voz.

«O caso é que...», começou e pigarreou de novo, «é que já está tudo cheio de nódoas. De nódoas verdes. E de penas também. A pomba sujou o corredor inteiro. O problema é esse.»

«Naturalmente, *monsieur*», disse a senhora Rocard, «o corredor necessita de ser limpo. Mas primeiro alguém terá de enxotar a pomba.»

«Pois», disse Jonathan, «pois, pois...», e pensou: Aonde quer ela chegar? Que pretende? Por que razão diz: *alguém* terá de enxotar a pomba? Quer talvez que *eu* a enxote? E desejou nunca ter ousado interpelar a senhora Rocard.

«Pois, pois», gaguejou, «alguém... alguém terá de enxotá-la. Eu... eu próprio já a teria afugentado há muito tempo mas não pude. Estou com pressa. Hoje trago comigo a roupa suja, como vê, e o sobretudo. Vou pôr o sobretudo a limpar e levar a roupa à lavandaria e depois tenho de ir trabalhar. Estou com imensa pressa, *madame*, por isso não pude afugentar a pomba. Só quis participar-lhe a ocorrência. Principalmente por causa das nódoas. O problema é o corredor estar sujo de excrementos de pomba. E é contra o regulamento. O regulamento do prédio manda que o corredor, as escadas e a retrete se conservem sempre limpos.»

Não se lembrava de ter sustentado uma conversa tão dúbia em toda a sua vida. As mentiras pareciam-lhe grosseiras e mais do que evidentes, e a única verdade que deviam encobrir: que nunca seria capaz de afugentar a pomba, antes pelo contrário, a pomba é que há muito o afugentara, achava-se confrangedoramente posta a nu; e, mesmo que a senhora Rocard não tivesse escutado essa verdade nas entrelinhas do seu discurso, com certeza a leria agora no seu rosto, pois sentia que o sangue lhe subia à cabeça, numa onda de calor, e que as faces lhe ardiam de vergonha.

A senhora Rocard, porém, fez como se nada tivesse notado (ou talvez até nem tivesse notado nada), e limitou-se a dizer: «Agradeço-lhe o reparo, *monsieur*. Tratarei oportunamente do assunto», e baixou a cabeça e desviou-se de Jonathan e encaminhou-se, arrastando os pés, para a casinha de banho anexa ao seu cubículo e desapareceu lá dentro.

Jonathan seguiu-a com os olhos. Se ainda albergara alguma esperança de que alguém pudesse salvá-lo da pomba, perdeu-a ante a visão desoladora da senhora Rocard a desaparecer no interior da sua casinha de banho. «Não vai tratar de nada», pensou, «de nada. E por que razão havia de tratar?

É apenas porteira e, como tal, compete-lhe varrer as escadas e o corredor e limpar a retrete comum uma vez por semana, mas não tem obrigação de enxotar pombas. Logo à tarde, o mais que tardar, vai embriagar-se com vermute e esquecer o caso completamente, se é que já não o esqueceu...»

Às oito e quinze em ponto, Jonathan estava à porta do banco, exactamente cinco minutos antes de o director-adjunto, o senhor Vilman, e de a chefe dos caixas, a senhora Roques, chegarem. Abriram conjuntamente a porta principal: Jonathan a porta de lagarto, exterior, a senhora Roques a porta exterior de vidro blindado, o senhor Vilman a porta interior de vidro blindado. A seguir Jonathan e o senhor Vilman desligaram o alarme, com os comutadores de chaves, Jonathan e a senhora Roques abriram a porta corta-fogo, de fechadura dupla, que dava acesso à cave, e a senhora Roques e o senhor Vilman desapareceram na cave para abrir a casa-forte, com as suas chaves correspondentes, enquanto Jonathan, que entretanto metera a mala, o guarda-chuva e o sobretudo dentro do armário-vestiário ao lado dos lavabos, se postava junto à porta interior de vidro blindado e deixava passar os empregados que a pouco e pouco chegavam, carregando em dois botões que accionavam electricamente as portas de vidro exterior e interior, destrancando-as alternadamente, como um sistema de comportas. Às oito e quarenta e cinco todo o pessoal se encontrava reunido, cada um se instalara no seu lugar de trabalho, atrás dos *guichets*, na tesouraria ou nos escritórios, e Jonathan saiu do Banco para ocupar o seu posto cá fora, nos degraus de mármore, diante da porta principal. Começou então o seu serviço propriamente dito.

O serviço era igual desde há trinta anos e resumia-se a ficar de pé diante da porta ou, quando muito, passear tranquilamente para cá e para lá no degrau de baixo, todas as manhãs, das nove às treze, e todas as tardes, das catorze e trinta às dezassete e trinta. Por volta das nove e meia e entre as dezasseis e trinta e as dezassete havia uma pequena interrupção provocada primeiro pela chegada e depois pela partida da limusina preta do senhor Roedels, o director. Competia-lhe então largar o seu posto no degrau de mármore, caminhar rapidamente cerca de doze metros, ao longo do edifício do banco, até ao portão de acesso ao pátio interior, levantar a pesada grade de aço, levar a mão à pala do boné, num cumprimento respeitoso, e deixar passar a limusina. Ao princípio da manhã ou ao fim da tarde, quando a carrinha azul, blindada, dos «Serviços de Transporte de Valores Brink's» aparecia, cumpria um ritual idêntico. Também era preciso abrir a grade de aço, os ocupantes da carrinha também tinham direito a um cumprimento, não ao respeitoso bater de pala, com a mão estendida, evidentemente, mas ao gesto mais informal, comum entre colegas, de levar o indicador à orla do boné. Fora disso, nada mais havia que fazer.

Jonathan permanecia quieto, olhava fixamente em frente e esperava. Às vezes contemplava os pés, às vezes o passeio, às vezes contemplava o café do outro lado da rua. Às vezes palmilhava o seu degrau de mármore num vaivém de sete passos para a esquerda e sete para a direita, ou abandonava o degrau de baixo e postava-se no segundo, e às vezes, quando o Sol aquecia demasiado e o calor lhe comprimia o suor contra a carneira do boné, chegava mesmo a escalar o terceiro, que ficava à sombra do alpendre da entrada, para, depois de tirar rapidamente o boné e limpar a testa transpirada à manga, aí permanecer parado, de olhar fixo, à espera.

À data da reforma, e segundo os seus cálculos, teria passado setenta e cinco mil horas em pé nestes três degraus de mármore. Seria então, com certeza, a pessoa que em Paris — e seguramente em toda a França — mais tempo teria permanecido em pé no mesmo sítio. Talvez até já o fosse, pois já passara cerca de cinquenta e cinco mil horas naqueles degraus de mármore. Com efeito os guardas que na cidade ainda trabalhavam num lugar fixo rareavam. A maioria dos bancos firmava contratos com empresas ditas de protecção e vigilância e encarregava-as de lhe postarem à porta uns tipos novos, de pernas afastadas e ar enfastiado que, dali a poucos meses, se não semanas, eram substituídos por outros tipos com o mesmo ar enfastiado — alegadamente para respeitar a opinião dos psicólogos do trabalho, que achavam que se um guarda prestava serviço durante muito tempo no mesmo lugar a sua atenção diminuía; a percepção do que acontecia em seu redor se embotava; se tornava indolente, desleixado e portanto incapaz de desempenhar as suas funções...

Que série de disparates! Jonathan estava mais bem informado. Sabia que a atenção de um guarda se esgotava logo após umas horas. Desde o primeiro dia que não se apercebia conscientemente do ambiente que o rodeava, nem sequer das várias centenas de pessoas que entravam no Banco, e também não precisava, pois era obviamente impossível distinguir um assaltante de um banco de um cliente de um banco. E mesmo que o guarda os distinguisse e se lançasse contra o assaltante — seria baleado e morto muito antes de ter conseguido desapertar a fivela de segurança do coldre, porque o assaltante possuía uma vantagem ímpar sobre o guarda: a surpresa.

O guarda era como uma esfinge — achava Jonathan (que lera num dos seus livros diversas coisas sobre esfinges) —, como uma esfinge. A sua eficácia não se devia a uma acção mas à simples presença física. Ela, e só ela, se opunha ao assaltante potencial. «Tens de passar por mim», dizia a esfinge ao violador de túmulos, «não posso impedir-te, mas tens de passar por mim; e se te atreveres a vingança dos deuses e dos manes do faraó recairá sobre ti!» E o guarda: «Tens de passar por mim, não posso impedir-te, mas se te atreveres terás de me abater a tiro e a vingança dos tribunais recairá sobre ti sob a forma de uma condenação por assassínio!»

Claro que Jonathan sabia muito bem que a esfinge dispunha de sanções mais eficientes do que o guarda. Um guarda não podia ameaçar com a vingança dos deuses. E também, no caso de o assaltante se estar nas tintas para sanções, a esfinge não corria praticamente qualquer perigo. Era de basalto, esculpida em pura rocha, fundida em bronze ou solidamente feita de pedra e argamassa. Não lhe custava sobreviver cinco milénios a um assalto a um túmulo... enquanto o guarda, se houvesse um assalto ao banco, teria necessariamente de dizer adeus à vida passados cinco segundos. E todavia assemelhavam-se, a esfinge e o guarda, achava Jonathan, pois o poder de ambos não era instrumental mas simbólico. E só a consciência deste poder simbólico, que o imbuía de orgulho e dignidade, que lhe dava força e resistência, que o protegia melhor do que a atenção, a arma ou o vidro blindado, só esta consciência permitira a Jonathan Noel conservar-se de pé nos degraus de mármore, à porta do banco, e exercer a sua vigilância sem medo, sem duvidar de si próprio, sem a menor sombra de descontentamento e sem uma expressão enfastiada no rosto durante trinta anos, até esse dia.

Nesse dia, porém, tudo era diferente. Nesse dia Jonathan, por mais que tentasse, não conseguia reencontrar a sua calma esfíngica. Poucos minutos depois começou a sentir o peso do corpo como uma pressão dolorosa na planta dos pés, transferiu o peso de um pé para o outro, tornou a apoiar-se no primeiro, cambaleou ligeiramente e precisou de se socorrer de uns pequenos passos laterais para não perder o equilíbrio, o aprumo que até então sempre mantivera de forma exemplar. Sentiu então uma comichão súbita nas coxas, nos dois lados do tronco e na nuca. E a seguir uma comichão na testa, como algumas vezes durante o Inverno, quando ela fica seca e gretada — embora agora fizesse calor, um calor anormal para as nove e um quarto da manhã, e a testa já estivesse tão húmida como só deveria estar por volta das onze e meia... sentiu uma comichão nos braços, e comichão no peito, nas costas, pelas pernas abaixo, em toda a parte onde existia pele, e desejou poder coçar-se avidamente, desenfreadamente, mas um guarda coçar-se em público, isso é que nunca! E, como tal, inspirou fundo e empertigou-se, curvou as costas e descontraiu-as, levantou os ombros e deixou-os cair e assim foi esfregando o corpo interiormente, na sua própria roupa, e buscando alívio. Claro que estas contorções e contracções inusitadas lhe perturbaram ainda mais o equilíbrio, e depressa os pequenos passos de apoio laterais com que procurava manter a estabilidade se revelaram insuficientes, e Jonathan viu-se obrigado a abandonar a sua pose estatuária antes mesmo da chegada da limusina do senhor Roedels, cerca das nove e meia, e, contra o que era costume, a iniciar o seu vaivém de sete passos para a esquerda e sete passos para

41

a direita. Enquanto passeava esforçava-se por prender o olhar no rebordo do segundo degrau de mármore e fazê-lo deslizar para cá e para lá, como um carrinho num carril seguro, para que a instilação monótona da imagem sempre igual do rebordo do degrau criasse no seu íntimo a almejada serenidade esfíngica que o levaria a esquecer o peso do corpo e a comichão da pele e toda aquela estranha confusão que lhe ia na carne e no espírito. Mas não era capaz. O carrinho descarrilava constantemente. Cada vez que pestanejava, o olhar desprendia-se do maldito rebordo e saltava para outra coisa: um fragmento de jornal no passeio; um pé calçando uma peúga azul; umas costas de mulher; um cesto de compras cheio de pães; a maçaneta da porta exterior de vidro blindado; o losango vermelho, luminoso, da tabacaria do café em frente; uma bicicleta, um chapéu de palha, um rosto... E não era capaz de se agarrar a um objecto, de estabelecer um novo ponto fixo que lhe servisse de suporte e de referência. Ainda mal focara o chapéu de palha, à direita, já um autocarro lhe arrastava o olhar para a esquerda, rua abaixo, para, uns metros mais à frente, o desviar para um cabriolé branco, de desporto, que o empurrava de novo para a direita, rua acima, onde entretanto o chapéu de palha desaparecera — os olhos procuravam-no em vão na multidão de transeuntes, na multidão de chapéus, ficavam pendurados numa rosa que balouçava num chapéu completamente diferente, libertavam-se, acabavam por recair no rebordo do degrau, mas não conseguiam parar, continuavam a errar incansavelmente de ponto para ponto, de mancha para mancha, de linha para linha... Era como se nesse dia o calor pairasse no ar em revérberos, como só acontece nas tardes mais quentes de Julho. Véus transparentes tremulavam diante das coisas. Os contornos das casas, dos telhados, das cumeeiras, resplandeciam em linhas de uma luminosidade crua e, ao mesmo tempo, apresentavam-se pouco nítidos, como que desfiados. Os rebordos das valetas e as juntas dos blocos de pedra do passeio — antes rectos e como que traçados à régua — serpenteavam em curvas cintilantes. E todas as mulheres pareciam nesse dia usar vestidos de cores garridas, passavam fogosas como labaredas, compeliam o olhar a segui-las, mas não lhe permitiam demorar-se. Já nada havia de definido. Já nada se podia fixar claramente. Tudo vibrava.

São os olhos, pensou Jonathan. Fiquei míope de um dia para o outro. Em criança necessitara de óculos, pouco graduados, zero vírgula setenta e cinco dioptrias menos, do lado esquerdo e do direito. Era muito estranho que agora, com o avançar dos anos, a miopia lhe voltasse a causar problemas. Com a idade, lera, as pessoas tornavam-se presbitas e a miopia, se existisse, diminuía. Talvez não sofresse de uma miopia clássica mas de algo que uns óculos já não poderiam remediar: cataratas, glaucoma, um descolamento de retina, um cancro da vista, um tumor cerebral que comprimia o nervo óptico...

Esta ideia sinistra preocupou-o tanto que não se apercebeu imediatamente de um buzinar curto e repetido. Só à quarta ou quinta vez — os toques de buzina eram agora prolongados — ouviu e reagiu e ergueu a cabeça. E ei-la de facto, a limusina preta do senhor Roedels, diante das grades do portão! Buzinaram de novo e acenaram até, como se já esperassem há vários minutos. Diante das grades do portão! A limusina do senhor Roedels! Quando é que a sua aproximação lhe passara alguma vez despercebida? Geralmente nem precisava de olhar, farejava-a, reconhecia-lhe o sussurrar do motor, mesmo que estivesse ferrado no sono teria acordado como um cão, à aproximação da limusina do senhor Roedels.

Não correu, precipitou-se — quase caiu com a pressa —, abriu a grade, empurrou-a para trás, cumprimentou, deixou entrar, sentia o coração aos saltos e a mão a tremer na pala do boné.

Quando fechou o portão e regressou à porta principal suava em bica. «Não deste pela limusina do senhor Roedels!», murmurou, com a voz alterada pelo desespero, como se a ocorrência ultrapassasse a sua compreensão: «Não deste pela limusina do senhor Roedels... não deste por ela, falhaste redondamente, negligenciaste os teus deveres, não estás apenas cego, estás surdo, estás decrépito e velho, já não prestas para guarda.»

44

Chegara junto do primeiro degrau da escada de mármore, subiu-o a custo e tentou reassumir a postura inicial. Notou logo que não era capaz. Os ombros não se conservavam direitos, os braços balouçavam para trás e para diante, roçando nas costuras das calças. Nesse momento fazia uma triste figura, sabia-o, e não o podia evitar. Com profundo desânimo olhou para o passeio, para a rua, para o café em frente. A reverberação do ar cessara. Os objectos tinham readquirido o aspecto normal, as linhas rectas não se desviavam dos seus cursos, o mundo apresentava-se nítido ante os seus olhos. Ouviu o ruído do trânsito, o chiar das portas dos autocarros, os gritos dos criados do café, o percutir dos saltos altos das mulheres. Nem a vista nem o ouvido se encontravam minimamente afectados. Mas o suor escorria-lhe da testa. Sentia-se fraco. Virou-se, subiu para o segundo degrau, subiu para o terceiro e instalou-se à sombra, quase colado à coluna atrás das costas, de maneira a tocarem no pilar. Em seguida foi-se deixando cair para trás suavemente, apoiado nas mãos e na coluna, e encostou-se pela primeira vez em trinta anos de serviço. E durante uns segundos fechou os olhos. Tamanha era a sua vergonha.

No intervalo do almoço foi buscar a mala, o sobretudo e o guarda-chuva ao vestiário e dirigiu-se à vizinha Rue Saint-Placide, onde existia um pequeno hotel principalmente frequentado por estudantes e trabalhadores estrangeiros. Pediu o quarto mais barato, arranjaram-lhe um de cinquenta e cinco francos, ficou com ele sem o ver, pagou adiantado e deixou a bagagem na recepção. Comprou dois caracóis de passas e uma embalagem de leite num quiosque e atravessou para a Square Boucicaut, um parquezinho fronteiriço aos armazéns Bon Marché. Sentou-se num banco à sombra e começou a comer.

Dois bancos mais adiante instalara-se um vagabundo. O vagabundo tinha uma garrafa de vinho branco entre as coxas, meio cacete na mão e a seu lado, sobre o banco, um saco de plástico com sardinhas fumadas. Pegava nas sardinhas pelo rabo e retirava-as do saquinho, uma a uma, arrancava-lhes a cabeça com uma dentada, cuspia-a e metia o resto inteiro na boca. Depois mastigava um naco de pão, bebia um grande golo de vinho, pela garrafa, e soltava um suspiro de satisfação. Jonathan conhecia o homem. No Inverno sentava-se sempre junto à entrada de serviço dos armazéns, na grade do respiradouro da cave, onde ficava o aquecimento; no Verão sentava-se à porta das lojas da Rue de Sèvres ou no portal da missão de apoio aos estrangeiros ou perto da estação dos correios. Vivia no bairro havia dezenas de anos, desde que Jonathan para lá fora morar. E Jonathan lembrava-se de que trinta anos atrás, quando o vira pela primeira vez, sentira despertar em si uma espécie de inveja furiosa, inveja da vida despreocupada que a criatura levava. Enquanto Jonathan começava o serviço todos os dias às nove horas em ponto, o vagabundo só aparecia, muitas vezes, às dez ou às onze; enquanto Jonathan tinha de permanecer de pé, perfilado, aquele refastelava-se regaladamente num pedaço de cartão e fumava; enquanto Jonathan guardava um banco durante horas seguidas, dias seguidos e anos seguidos, pondo a vida em risco, e ganhando amargamente o seu pão com este trabalho, o indivíduo não fazia outra coisa senão confiar na comiseração e na caridade do próximo, que lhe atirava o dinheiro para o boné. E parecia nunca estar de mau humor, mesmo quando o boné ficava vazio; parecia nunca sofrer nem ter medo nem sequer se aborrecer. Apresentava sempre um ar de segurança e arrogância revoltantes, a provocatoriamente ostensiva aura da liberdade.

Mas uma vez, em meados dos anos sessenta, no Outono, quando Jonathan se dirigia para a estação dos correios da Rue Dupin e quase tropeçou, à entrada, numa garrafa de vinho que se encontrava sobre um pedaço de cartão, entre um saco de plástico e o já conhecido boné com as moedas dentro — e quando involuntariamente se deteve um momento a procurar com os olhos o vagabundo, não porque lhe sentisse a falta, como pessoa, mas porque da natureza morta com garrafa, saco e cartão desaparecera o elemento central... eis que o descobriu do outro lado da rua, acocorado entre dois carros estacionados, a fazer as suas necessidades. Agachara-se junto à valeta, com as calças abaixadas até aos jarretes, com as nádegas voltadas para Jonathan, as nádegas estavam completamente à mostra, os transeuntes passavam, qualquer pessoa podia vê-las: umas nádegas brancas como farinha, cheias de nódoas negras e escaras avermelhadas, que pareciam tão maltratadas como o rabo de um velho entrevado — embora a criatura não tivesse mais idade do que Jonathan e andasse então pelos trinta, trinta e cinco anos, no máximo. E deste rabo todo esfolado esguichou então para o pavimento, com um ímpeto e uma abundância prodigiosos, um jacto de um líquido castanho e espesso, formou uma poça, um lago que cercou os sapatos, e os esguichos que embatiam no solo e ressaltavam sujavam peúgas, coxas, camisa, tudo...

Foi um espectáculo tão lastimoso, tão repugnante, tão hediondo, que Jonathan ainda hoje tremia só de se lembrar. Na altura fugiu, após o primeiro momento de horror paralisante refugiou-se na estação dos correios, pagou a conta da electricidade, comprou selos, sem precisar, unicamente para se demorar mais um pouco e se assegurar de que ao deixar os correios já não depararia com o vagabundo em acção. Quando por fim saiu semicerrou as pálpebras e baixou os olhos e esforçou-se por não os fixar em frente, no outro lado da rua, mas desviá-los para a esquerda, e virou também para a esquerda e subiu a Rue Dupin, sem necessidade, só para não ter de passar pelo sítio onde se encontrava a garrafa de vinho, o cartão e o boné, e deu uma grande volta, pela Rue du Cherche-Midi e pelo Boulevard Raspail, antes de alcançar a Rue de la Planche e o seu quarto, o abrigo seguro.

A partir desse instante a inveja que Jonathan sentira pelo vagabundo desvaneceu-se por completo. Se antes ainda o assaltara de tempos a tempos uma ligeira dúvida sobre se valia ou não a pena alguém despender um terço da vida postado à porta de um banco, e ocasionalmente abrir um portão e fazer continência, à entrada da limusina do director, sempre a mesma rotina, a troco de umas férias exíguas e de um exíguo ordenado cuja maior parte desaparecia sem deixar rasto, sob a forma de impostos, renda de casa e contribuições para a segurança social... se ainda duvidara se valia ou não a pena tudo isto — a resposta encontrava-se agora diante dos seus olhos, uma resposta tão clara quanto o terrível espectáculo que presenciava na Rue Dupin. Valia a pena, sim. Valia até muito a pena, pois evitava que tivesse de mostrar as nádegas em público e cagar na rua. Existiria coisa mais abjecta do que mostrar as nádegas em público e ter de cagar na rua? Existiria coisa mais degradante do que estas calças semidespidas, esta posição acocorada, esta nudez compulsiva e feia? Existiria coisa mais irremediável e humilhante e penosa do que ser forçado a fazer as necessidades diante de meio mundo? Necessidades! O simples nome denunciava a tortura. E, como tudo o que se tinha de fazer por compulsão absoluta, o mínimo que se podia exigir para tornar a situação tolerável era a ausência radical de outras pessoas... ou então a ilusão da sua ausência: um bosque, quando se estava no campo: um arbusto, quando se era surpreendido num descampado, ou pelo menos uma vala ou o crepúsculo ou, à falta deles, uma planície com boa visibilidade e onde não se descortinasse ninguém num raio de um quilómetro. E na cidade? Na cidade que fervilhava de gente? Onde nunca chegava verdadeiramente a escurecer? Onde nem sequer umas ruínas abandonadas ofereciam protecção bastante contra os olhares importunos? Na cidade não havia outro remédio para afastar as pessoas senão um tabique com uma fechadura sólida e um trinco. Quem não possuísse um destes refúgios seguros para as suas necessidades era a mais miserável e lastimável das criaturas, com liberdade ou sem ela. Com pouco dinheiro Jonathan ter-se-ia arranjado. Conseguia imaginar-se vestindo um casaco coçado e umas calças rotas. Se necessário, e mobilizando toda a sua fantasia romântica, parecia-lhe até concebível dormir num pedaço de cartão e confinar a sua intimidade doméstica a um recanto qualquer, à grade de ventilação de um aquecimento, ao vão da escada de uma estação de metro. Mas quando, numa grande cidade, uma pessoa já nem para cagar podia fechar atrás de si uma porta — nem que fosse a porta da retrete comum —, quando uma pessoa se achava privada desta liberdade, a liberdade suprema de se isolar das outras pessoas para fazer as suas necessidades, então todas as demais liberdades perdiam o valor. Então a vida perdia o sentido. Então era melhor estar morto.

Quando Jonathan descobriu finalmente que a essência da liberdade humana consistia na posse de uma retrete comum e que gozava desta liberdade essencial, foi invadido por um sentimento de profunda satisfação. Sim, a maneira como organizara a sua vida estava certa! A existência que levava era um êxito absoluto. Não tinha nada, mas mesmo nada, a lamentar ou invejar aos outros.

A partir desse instante como que se firmava melhor nas pernas quando se postava à entrada do banco. Permanecia erecto, como que fundido em bronze. Aquela arrogância e aquela segurança sólidas que antes adivinhara na pessoa do vagabundo tinham-se insinuado nele como metal líquido, tinham endurecido e formado uma armadura interior e tinham-no tornado mais pesado. Doravante já nada o poderia abalar, já nenhuma dúvida o poderia fazer hesitar. Atingira a serenidade esfíngica. Em relação ao vagabundo — quando o encontrava ou o via sentado em qualquer sítio — experimentava apenas aquele sentimento a que geralmente se chama tolerância: um misto muito vago de repugnância, desprezo e compaixão. O homem já não o perturbava. O homem era-lhe indiferente.

Fora-lhe indiferente até esse dia, o dia em que Jonathan se sentara na Square Boucicaut, a comer os caracóis de passas e a beber leite pela embalagem. Habitualmente ia a casa no intervalo do almoço. Morava a uns escassos cinco minutos dali. Geralmente preparava em casa qualquer coisa quente no prato eléctrico, uma omeleta, ovos estrelados com presunto, massa com queijo ralado ou um resto de sopa da véspera, acompanhados de salada, e uma chávena de café. Havia uma eternidade que não se sentava num banco de jardim durante o intervalo do almoço, a comer caracóis de passas e a beber leite pela embalagem. Para dizer a verdade não gostava especialmente de bolos. Nem de leite. Mas já gastara nesse dia cinquenta e cinco francos com o quarto de hotel; entrar num café e pedir uma omeleta, uma salada e uma cerveja ter-lhe-ia parecido uma extravagância.

O vagabundo, no seu banco, terminara a refeição. Em cima das sardinhas e do pão comera ainda queijo, peras e bolachas, bebera um grande golo de vinho, pela garrafa, soltara um suspiro de completa satisfação e, em seguida, enrolara o casaco de modo a servir-lhe de almofada, deitara nele a cabeça e estirara o corpo indolente e saciado ao comprido, no banco, para dormir uma sesta. Agora dormia. Aproximaram-se pardais, a saltitar, e debicaram as migalhas de pão; depois, atraídas pelos pardais, bambolearam-se até ao banco algumas pombas que depenicaram com os seus bicos negros as cabeças mordidas das sardinhas. O vagabundo não se deixou incomodar pelos pássaros. Dormia profunda e serenamente.

Jonathan observou-o. E ao observá-lo apoderou-se dele uma estranha inquietação. Uma inquietação nascida não da inveja, como em tempos, mas do espanto. Como era possível — interrogou-se — que este indivíduo ainda estivesse vivo e com mais de cinquenta anos de idade? Com a existência absolutamente irresponsável que levava, havia muito que devia ter morrido de fome, de frio, de cirrose — fosse do que fosse! Em vez disso comia e bebia com o melhor dos apetites, dormia o sono dos justos e, com as suas calças passajadas — que já nem por sombras eram as mesmas que outrora abaixara na Rue Dupin mas umas calças de bombazina relativamente elegantes, quase modernas, apenas um pouco remendadas — e com o seu casaco de algodão, dava a impressão de uma pessoa realizada e segura, em perfeita harmonia consigo própria e com o mundo e apreciadora da vida... enquanto ele, Jonathan — e o seu espanto ia crescendo, e também o seu nervosismo, e alimentando um turbilhão de ideias confusas —, enquanto ele, que fora sempre um homem honesto e respeitável, sem exigências, quase ascético, e sério, e infalivelmente pontual e obediente, digno de confiança, decente... e que ganhara cada tostão que possuía, e sempre pagara tudo em dinheiro, a conta da electricidade, a renda da casa, a gratificação de Natal da porteira... e que nunca se endividara, nunca se tornara pesado para ninguém, nem sequer adoecera e se aproveitara dos fundos da segurança social... que nunca fizera mal a uma mosca, nunca, que nunca desejara outra coisa na vida senão conservar e garantir a sua pequena e modesta paz de espírito... enquanto ele, aos cinquenta e três anos de idade, se via de repente empurrado para uma crise que abalava todos os planos que engenhosamente arquitectara para o futuro, uma crise que o desnorteava e confundia e o obrigava a comer caracóis de passas por pura perplexidade e medo. Sim, sentia medo! Deus sabia como tremia e o medo que sentia só de olhar para aquele vagabundo adormecido. Sentia subitamente um medo horroroso de vir a transformar-se num pobre diabo como o que ali estava, no banco. Como era possível que as pessoas empobrecessem e se degradassem tão depressa? Com que rapidez se desmoronavam os alicerces aparentemente sólidos da nossa existência! «Não deste pela limusina do senhor Roedels», o pensamento não lhe saía da cabeça. «Nunca aconteceu antes, nunca devia ter acontecido e, no entanto, hoje aconteceu: não deste pela limusina. E se hoje te esqueceste da limusina talvez amanhã te esqueças dos teus outros deveres, ou percas a chave da porta de lagarto, e para o mês que vem passes pela vergonha de ser despedido, e não voltas a arranjar trabalho, pois quem dá trabalho a um falhado? Com o subsídio de desemprego ninguém consegue viver, de resto, até lá, há muito que terás perdido o teu quarto, mora nele uma pomba, no teu quarto mora uma família de pombas que o suja e devasta, as contas de hotel crescem astronomicamente, embriagas-te para esquecer o que te preocupa, bebes cada vez mais, gastas na bebida todas as tuas economias, transformas-te num bêbado, irremediavelmente, adoeces, desleixas-te, tornas-te um piolhoso, abandalhas-te, és expulso da última espelunca que te serve de lar, já não possuis

54

um tostão, estás diante do nada, estás no meio da rua, dormes, habitas na rua, cagas na rua, chegaste ao fim, Jonathan, antes de o ano terminar terás chegado ao fim e serás um vagabundo andrajoso, deitado num banco de jardim, como aquele teu irmão, o pobre diabo que ali está!»

Ficara com a boca seca. Desviou os olhos da advertência viva que era o quadro do homem dormindo e engoliu o último bocado do caracol de passas. O bocado levou uma eternidade a alcançar o estômago, rastejava pelo esófago com a lentidão de um caracol, às vezes parecia mesmo encalhar, causando-lhe uma sensação de pressão e de dor, como um prego a espetar-se no peito, e Jonathan julgou que ia morrer sufocado por aquela coisa enjoativa. Mas depois o bocado de bolo recomeçou a escorregar, uns milímetros, e mais uns milímetros, e sempre acabou por ir parar lá a baixo e o espasmo doloroso desapareceu. Jonathan respirou fundo. Agora queria ir-se embora. Não queria continuar ali sentado, se bem que só retomasse o trabalho dentro de meia hora. Fartara-se. Desgostara--se do local. Com as costas da mão sacudiu as migalhas de caracol que, apesar de todo o cuidado com que comera, tinham caído nas calças da farda, voltou a endireitar-lhes o vinco, levantou-se e foi-se embora sem tornar a olhar para o vagabundo.

Já se encontrava de novo na Rue de Sèvres quando se lembrou que deixara ficar a embalagem de leite vazia em cima do banco do jardim, e o facto incomodou-o, pois detestava que as outras pessoas deixassem lixo nos bancos ou o atirassem pura e simplesmente para o chão em vez de o deitarem no lugar apropriado, ou seja, nos recipientes de lixo que existiam por toda a parte. Nunca atirara lixo para o chão nem o deixara ficar num banco de jardim, nunca, nem por negligência nem por esquecimento, era um percalço que nunca lhe sucedia... e por isso também não queria que lhe sucedesse hoje, precisamente hoje, neste dia difícil em que já lhe tinham sucedido tantas desgraças. De qualquer maneira já enveredara por mau caminho, comportava-se como um doido, como um irresponsável, quase como um associal — não dar pela limusina do senhor Roedels! Comer caracóis de passas no parque, ao almoço! Ou prestava atenção ao que fazia, a começar pelas pequenas coisas, e lutava com toda a sua energia contra as distracções aparentemente mais insignificantes, como o esquecimento da embalagem de leite, ou não tardaria a descontrolar-se por completo e nada o poderia salvar de um fim miserável.

Voltou portanto para trás e encaminhou-se para o parque. De longe viu logo que o lugar onde estivera sentado continuava livre e, ao aproximar-se, reconheceu com alívio o cartão branco da embalagem de leite, que assomava por entre as ripas verdes escuras das costas do banco. Era evidente que ninguém reparara na sua negligência, ia a tempo de corrigir aquela falta imperdoável. Acercou-se do banco por detrás, debruçou-se sobre o encosto, agarrou na embalagem de leite com a mão

56

esquerda, tornou a endireitar-se, virando resoluta-
mente o corpo para a direita, mais ou menos na
direcção onde sabia encontrar-se o recipiente de
lixo mais próximo — e sentiu um súbito e violento
puxão nas calças, um esticão oblíquo, para baixo,
que não conseguiu porém atenuar porque fora demasiado brusco e o apanhara em pleno movimento
contrário, quando rodava para o outro lado e para
cima como um parafuso. E simultaneamente ouviu-
-se um som desagradável, um «zás» ruidoso, e Jonathan apercebeu-se de uma brisa que lhe aflorava
a pele da coxa esquerda, sinal de que o ar exterior
entrava sem obstáculos. Durante um momento ficou
tão apavorado que não se atreveu a olhar. Parecia-
-lhe também que o «zás» — que ainda lhe ecoava
nos ouvidos — atingira uma intensidade sonora tão
formidável que era como se, para além das calças,
o rasgão o tivesse atravessado a ele, ao banco, ao
parque inteiro, qual fenda aberta por um terramoto, e como se toda a gente nas redondezas tivesse
ouvido aquele tremendo «zás» e olhasse escandali-
zada para ele, Jonathan, o seu autor. Mas ninguém
olhava. As velhotas continuavam a tricotar, os ve-
lhotes continuavam a ler o jornal, as poucas crianças que brincavam no minúsculo parque infantil
continuavam a escorregar nos escorregas e o vagabundo dormia. Jonathan baixou os olhos devagar.
O rasgão media cerca de doze centímetros de comprimento. Começava na extremidade inferior da
algibeira esquerda das calças, que, quando ele se
virara, se prendera num parafuso saliente do banco,

seguia pela coxa abaixo, mas em vez de descer convenientemente ao longo da costura descia pelo meio do belo tecido de gabargina da farda, e inflectia por fim em ângulo recto até ao vinco, estendendo-se por uma largura de cerca de duas polegadas. A fazenda não apresentava uma racha discreta, um simples golpe, mas um enorme buraco sobre o qual adejava uma bandeirinha triangular.

Jonathan sentiu a adrenalina espicaçá-lo, essa substância excitante que, segundo lera, as supra-renais lançavam no sangue em momentos de extermo perigo físico e de grande tensão psíquica, para mobilizar as últimas reservas do organismo para a fuga ou para uma luta de vida ou de morte. Na verdade, era como se estivesse ferido. Era como se não só as calças se lhe tivessem rasgado mas como se na sua própria carne se tivesse aberto uma ferida de doze centímetros de comprimento de onde jorrasse o seu sangue, a sua vida, que no entanto fluía num circuito interno perfeitamente estanque, e era como se estivesse condenado a morrer dessa ferida, caso não arranjasse maneira de a fechar sem demora. Mas havia também aquela adrenalina que lhe dava um alento milagroso, a ele, que julgava esvair-se em sangue. O coração batia-lhe com firmeza, sentia-se cheio de coragem, as ideias ordenavam-se-lhe de repente com grande clareza em torno de um objectivo único: «Tens de fazer qualquer coisa imediatamente», gritava uma voz dentro dele, «tens de fazer qualquer coisa agora mesmo, senão estás perdido!» E, enquanto se interrogava sobre o que poderia fazer, já sabia a resposta — tão rápido é o efeito da adrenalina, essa droga maravilhosa, tão inspirador é o efeito do medo sobre a inteligência e sobre a acção. Decidiu-se num ápice, passou para a mão direita a embalagem de leite que ainda segurava na esquerda, amachucou-a, atirou-a para um sítio qualquer, para a relva, para o caminho de saibro, não se importou para onde. Espalmou a recém-libertada mão esquerda na coxa, sobre o buraco das calças, e precipitou-se dali para fora, conservando a perna esquerda tão rígida quanto possível para a mão não escorregar, balouçando energicamente o braço direito, avançando com o passo oscilante e sacudido típico dos coxos, atravessou o parque a correr e subiu à pressa a Rue de Sèvres, só lhe restava uma escassa meia hora.

Na secção de produtos alimentares do Bon Marché, na esquina da Rue du Bac, havia uma costureira. Descobrira-a poucos dias antes. Estava sentada logo à frente, junto à entrada, na zona onde se arrumavam os carrinhos de compras. Um letreiro pendurado na máquina de costura dizia, lembrava-se ainda das palavras exactas: *Jeannine Topell — transformações e arranjos — perfeição e rapidez.* Era a mulher que ia ajudá-lo. Tinha de o ajudar — se não estivesse também no intervalo do almoço. Mas com certeza que não estava no intervalo do almoço, com certeza que não, seria azar a mais. Não podiam acontecer-lhe tantos azares no mesmo dia. Não numa altura destas. Não quando se via numa tamanha aflição. Numa grande aflição tinha-se sorte, conseguia-se ajuda. A senhora Topell encontrava-se com certeza no seu posto e ia ajudá-lo.

A senhora Topell *encontrava-se* no seu posto! Mal chegou à entrada da secção de produtos alimentares avistou-a sentada à máquina, a coser. Sim, a senhora Topell era uma pessoa de confiança, nem durante o intervalo do almoço deixava de trabalhar, com perfeição e rapidez. Correu para ela, deteve-se ao lado da máquina de costura, tirou a mão da coxa, consultou rapidamente o relógio de pulso, eram catorze horas e cinco minutos, pigarreou e abordou-a: «*Madame!*».

A senhora Topell acabou de coser o plissado de uma saia vermelha que estava a arranjar, desligou a máquina e levantou a patilha da agulha para soltar o tecido e partir a linha. Depois ergueu a cabeça e fitou Jonathan. Usava uns óculos descomunais, com grossos aros de madrepérola e lentes muito abauladas que lhe faziam os olhos enormes e transformavam as órbitas em lagos profundos e sombrios. O cabelo castanho caía-lhe a direito até aos ombros e tinha os lábios pintados de roxo iridiscente. Devia andar pelos quarenta e muitos, cinquenta e tal anos, parecia uma daquelas madamas que lêem o futuro na bola de cristal ou nas cartas, uma daquelas madamas um tanto ou quanto decadentes, que já custa tratar por «*madame*», e que apesar disso inspiram uma confiança imediata. E até mesmo os dedos — com que reajustou os óculos que lhe escorregavam ligeiramente para o nariz, a fim de melhor poder observar Jonathan —, até os dedos, curtos e roliços como salsichas, mas que — não obstante o constante trabalho manual — eram dedos cuidados, com unhas pintadas de roxo iridiscente, possuíam uma semi-elegância que infundia confiança. «O senhor deseja?» disse a senhora Topell com uma voz um pouco rouca.

Jonathan virou-se de lado, apontou-lhe as calças rasgadas e perguntou: «Pode arranjar isto?» E como a pergunta lhe soasse demasiado brusca, traindo porventura o seu estado de excitação adrenalínica, acrescentou para amenizar e num tom de voz que se esforçou por tornar casual: «É um buraco, um pequeno rasgão... um estúpido acidente, *madame*. Acha que se pode fazer alguma coisa?»

A senhora Topell mirou Jonathan de alto a baixo, com os seus olhos enormes, até descobrir o buraco na coxa e inclinou-se para o examinar. Ao curvar-se, a cortina de cabelos castanhos abriu-se das omoplatas até à base do crânio e revelou uma nuca curta, branca, adiposa; e ao mesmo tempo evolou-se dela um odor tão pesado e estonteante a pó de arroz e perfume que Jonathan retraiu involuntariamente a cabeça e desviou rapidamente os olhos da nuca próxima para um ponto longínquo do supermercado; e por momentos teve uma visão global do recinto à sua frente, com todas as prateleiras e arcas frigoríficas e balcões de queijos e de chouriços e bancas de produtos em promoção e pirâmides de garrafas e montes de legumes, e com os fregueses que circulavam no meio daquele labirinto, empurrando carrinhos de compras e puxando por criancinhas, e com os empregados, os armazenistas, as meninas da caixa — um turbulento e ruidoso mar de gente à beira do qual ele, Jonathan, se encontrava, com as calças rasgadas e exposto a todos os olhares... E de súbito lembrou-se de que talvez o senhor Vilman, a senhora Roques ou mesmo o senhor Roedels se achassem entre a multidão e o vissem a ele, Jonathan, junto daquela madama de cabelo castanho e ar um tanto ou quanto decadente, que inspeccionava em público uma zona precária do seu corpo. E experimentou até um certo mal-estar, em especial quando, para cúmulo do embaraço, sentiu um dos dedos roliços da senhora Topell tocar-lhe na pele da coxa, no sítio onde a bandeirinha de tecido rasgado adejava para cima e para baixo...

Porém nessa altura senhora Topell reemergiu das profundezas da coxa, recostou-se na cadeira e as emanações directas do seu perfume cessaram, permitindo que Jonathan endireitasse a cabeça e desviasse os olhos da perturbante vastidão do supermercado para a reasseguradora proximidade das lentes enormes e abauladas dos seus óculos.

«Então?» perguntou e repetiu: «Então?» com uma espécie de impaciência angustiada, como um doente que se achasse diante da médica e receasse um diagnóstico calamitoso.

«Não há problema», declarou a senhora Topell. «Basta pôr um reforço por baixo. Vai ficar a notar-se uma pequena costura. Mas é a única maneira.»

«Mas não tem importância», disse Jonathan, «uma pequena costura não tem importância nenhuma, num sítio destes quem é que repara?» E consultou o relógio, eram catorze horas e catorze minutos. «Portanto, pode arranjar? Pode ajudar-me, *madame*?»

«Naturalmente», disse a senhora Topell, reajustando os óculos que ao examinar o buraco lhe tinham escorregado para o nariz.

«Oh, *madame*, obrigado», exclamou Jonathan, «muito obrigado. Tira-me um imenso peso de cima. Permita-me que lhe peça só mais uma coisa: Poderia... importar-se-ia de me fazer um grande favor... — é que estou cheio de pressa, disponho apenas...» — e voltou a consultar o relógio — «disponho apenas de dez minutos — poderia executar o trabalho agora? Quero dizer: já? Imediatamente?»

Há perguntas cuja resposta se adivinha na própria ocasião em que se perguntam. E há pedidos cuja perfeita inutilidade se torna óbvia quando se pedem de viva voz e se olha a outra pessoa nos olhos. Jonathan olhou para os olhos enormes e sombrios da senhora Topell e soube instantaneamente que tudo era vão, improfícuo, desesperado. Soubera-o antes, enquanto balbuciara a sua pergunta soubera-o, sentira-o no corpo, na queda do nível da adrenalina no sangue, ao consultar o relógio: dez minutos! E pareceu-lhe que também caía

63

e se afundava, como se estivesse sobre um pedaço de gelo mole, prestes a derreter-se. Dez minutos! Quem seria capaz de coser aquele tremendo buraco em dez minutos? Ninguém. Absolutamente ninguém. E não se podia remendar o buraco na coxa. Era preciso pôr um reforço por baixo, e isso significava: despir as calças. Mas aonde ir, entretanto, buscar outras calças, em plena secção de produtos alimentares do Bon Marché? Despir as calças e ficar ali em cuecas...? Inútil. Completamente inútil.

«Imediatamente?» perguntou a senhora Topell, e Jonathan, apesar de saber que tudo era inútil e apesar do desânimo abissal que o invadira, fez que sim com a cabeça.

A senhora Topell sorriu. «Olhe, *monsieur*, tudo o que o senhor aqui vê» — e apontou para um cabide de dois metros de comprimento, com um nunca mais acabar de roupa pendurada: vestidos, casacos, calças, blusas — «tudo isto é para arranjar imediatamente. Trabalho dez horas por dia.»

«Pois claro», disse Jonathan, «compreendo muito bem, *madame*, foi um pedido estúpido. Acha que vai necessitar de quanto tempo para coser o rasgão?»

A senhora Topell voltou-se de novo para a máquina, ajeitou convenientemente o tecido da saia vermelha e baixou a patilha da agulha. «Se me trouxer as calças na próxima segunda-feira ficarão prontas daqui a três semanas.»

«Três semanas?» repetiu Jonathan, como que atordoado.

«Sim», disse a senhora Topell, «três semanas. Antes não é possível.»

E a seguir ligou a máquina, e a agulha começou a ronronar, e nesse preciso momento Jonathan teve a impressão de que deixara de existir. Na realidade continuava a ver, a menos de um braço de distância, a senhora Topell sentada à máquina de costura, a cabeça castanha com os óculos de madrepérola, os dedos roliços, mexendo-se com agilidade, e a agulha veloz, ponteando uma costura na bainha da saia vermelha... e continuava também a ver, como um pano de fundo pouco nítido, o supermercado com todo o seu bulício... mas de repente deixara de se ver a si próprio, ou melhor, deixara de se ver como parte do mundo que o rodeava e, durante uns segundos, foi como se estivesse muito longe e de fora e observasse a Terra através de um óculo às avessas. E, tal como já lhe sucedera de manhã, sentiu-se tonto e cambaleou. Deu um passo para o lado, virou-se e dirigiu-se para a saída. Fez-lhe bem caminhar, o movimento ajudou-o a regressar à Terra, a ilusão de olhar para o mundo através de um óculo invertido desapareceu. Mas por dentro ainda cambaleava.

Na secção de papelaria comprou um rolo de *Tesafilm*. Colou o rasgão das calças com a fita adesiva para que a bandeirinha triangular não adejasse sempre que desse um passo. E voltou para o trabalho.

Passou a tarde atormentado por uma sensação de miséria e, ao mesmo tempo, furioso. Postou-se à entrada do banco, no degrau superior, mesmo junto à coluna, sem no entanto se encostar, pois não queria dar parte de fraco. Aliás nem se teria podido encostar porque, para o fazer discretamente, teria sido preciso cruzar as duas mãos atrás das costas, e necessitava da esquerda pendente para encobrir o sítio da coxa onde colara a fita. Em vez disso, e para se conservar direito, viu-se forçado a afastar as pernas e adoptar aquela posição estúpida que detestava nos colegas mais novos, e verificou que ela obrigava a espinha a arquear-se e o pescoço normalmente livre e erecto a afundar-se nos ombros, e com ele a cabeça e o boné, o que por sua vez levava a que sob a pala aparecessem automaticamente aquele olhar inquisitorial e maldosamente vigilante e aquela expressão enfastiada que tanto desprezava nos outros guardas. Transformara-se num estropiado, na caricatura de um guarda, num retrato grotesco de si próprio. Desprezou-se. Durante essas horas odiou-se. Odiou-se ao ponto de quase desejar mudar de pele, e desejou literalmente mudar de pele quando começou a sentir comichões em todo o corpo, e já não se conseguia coçar roçando-se na roupa porque transpirava por todos os poros e o fato se lhe colava à pele como uma segunda pele. E nos sítios onde não estavam colados, onde ainda ficara um pouco de ar entre a pele e a roupa: nas pernas, nos antebraços, na base do pescoço... sobretudo na base do pescoço, onde sentia uma comichão verdadeiramente insuportável e de onde o suor escorria em grossas gotas irritantes — sobretudo aí não *queria* coçar-se, não, não queria proporcionar-se esse pequeno alívio possível porque em nada iria alterar o seu geral e profundo estado de miséria mas apenas realçar e agravar o ridículo da situação. Agora *queria* sofrer. E quanto mais sofresse tanto melhor. O sofrimento vinha-lhe mesmo a calhar, justificava e atiçava o ódio e a fúria, e a fúria e o ódio atiçavam por seu turno o sofrimento, fazendo com que o sangue lhe fervesse nas veias com um calor crescente e o suor lhe jorrasse dos poros em ondas sucessivas. Tinha a cara encharcada, o queixo e os cabelos da nuca a pingar, a carneira do boné enterrada na testa entumescida. Mas nada neste mundo seria capaz de o obrigar a tirar o boné por um segundo que fosse. Havia de ficar assim, bem aparafusado à cabeça como a tampa de uma panela de pressão, cingindo-lhe as têmporas como um anel de ferro, mesmo que os miolos lhe estoirassem. Não tencionava mexer uma palha para minorar a sua miséria. Permaneceu de pé, imóvel, durante horas. Notou apenas que a espinha se lhe ia curvando, os ombros e o pescoço afundando, que o corpo adquiria uma postura progressivamente mais tensa, uma atitude de mastim.

Até que finalmente — não pôde nem quis evitá-lo — o ódio que sentia por si próprio e se acumulara transbordou, lhe assomou aos olhos, que espiavam de trás da pala do boné com uma expressão cada vez mais tenebrosa e malévola, e extravasou sob a forma de um vulgaríssimo ódio pelo mundo. E tudo o que caía dentro do seu campo visual surgia agora coberto com a detestável patina do ódio; sim, pode dizer-se que através dos seus olhos Jonathan já não recebia uma verdadeira imagem do mundo exterior, era como se os raios luminosos seguissem o caminho inverso, e os olhos só lhe servissem de portão de saída, para projectar no mundo as suas alucinações grotescas. Os criados, por exemplo, do outro lado da rua, no passeio junto ao café, aqueles criados inúteis, aqueles rapazolas patetas que flanavam por entre as mesas e as cadeiras sem a menor compostura, tagarelando e rindo e motejando uns com os outros, que estorvavam quem pretendia passar e assobiavam às raparigas, os franganotes, e que não faziam mais nada senão berrar de ver em quando para o balcão, pela porta aberta, o que lhes tinham pedido também a gritar, de uma mesa qualquer: «Um café! Uma cerveja! Uma limonada de limão!», para por fim lá se resolverem com pressa fingida a transportar a encomenda com requintes malabarísticos e a servi-la com movimentos afectados e pseudo-artísticos de criado: pousando a chávena na mesa com um impulso em espiral, entalando a garrafa de *Coca-Cola* entre as coxas e abrindo-a com um gesto rápido, cuspindo o talão da caixa primeiro para a mão e enfiando-o depois debaixo do cinzeiro, enquanto a outra mão se ia ocupando a receber a conta da mesa vizinha e embolsar montes de dinheiro, preços astronómicos: cinco francos por um café expresso, onze francos por uma cerveja pequena, e ainda um suplemento de quinze por cento pela macacada do serviço, mais a gorjeta extra; sim, também esperavam gorjeta, os senhores mandriões, os patifes, uma gorjeta extra! — senão já nem «obrigado» diziam, e muito menos «até à próxima»; freguês que não deixasse gorjeta extra era como se não existisse e ao abandonar o estabelecimento só depararia com arrogantes costas de criado e com arrogantes cus de criado, de onde sobressaíam as carteiras de criado, pretas, a abarrotar de dinheiro, metidas nos cintos das calças, pois achavam que isso lhes dava um ar descuidado e chique, os grandes imbecis, mostrar orgulhosamente as carteiras, como rabos gordos — ah, quem os pudesse apunhalar com os olhos, àqueles palermas presumidos, com as suas camisas ligeiras, frescas, de manga curta, de criado! Quem pudesse chegar ao pé deles e puxar-lhes as orelhas à sombra do seu badalquim e esbofeteá-los em plena rua, esquerda direita esquerda direita zás zás, pregar-lhes umas estaladas e dar-lhes um par de açoites...

Mas não só a eles! Não só aos fedelhos dos criados, também os fregueses mereciam um bom par de açoites, aquela cambada acéfala de turistas que por ali andava à boa vida, de blusas de Verão e chapéus de palha e óculos escuros, enchendo-se de refrescos escandalosamente caros enquanto outras pessoas ganhavam o pão com o suor do rosto. E também os automobilistas. Além! Aqueles camelos que só empestavam o ar, que só poluíam o ambiente com ruídos, que não faziam mais nada durante todo o santo dia senão subir e descer vertiginosamente a Rue de Sèvres nos seus calhambeques malcheirosos. Não bastam os maus cheiros que já existem? O barulho que se ouve nesta rua, na cidade inteira, não chega? A atmosfera não está suficientemente abafada com este calor sufocante? Precisam ainda de sorver o último resto de ar respirável para os vossos motores e de o queimar e de o soprar para as narinas dos cidadãos respeitáveis misturado com veneno e fuligem e fumo quente? Porcalhões! Criminosos! Deviam ser exterminados. Sim, senhor! Chicoteados e exterminados. Mortos a tiro! Todos, um por um. Ah! Como lhe apetecia sacar da pistola e disparar para qualquer sítio, para o meio do café, para o meio das vidraças, furá-las e ouvi-las tinir e quebrar-se, para o meio dos carros que se aglomeravam ou disparar simplesmente para o meio de um dos prédios gigantescos que se erguiam à sua frente, uns prédios feios, altos, ameaçadores, ou para o ar, para cima, para o céu, sim, para o céu abrasador, para o céu terrivelmente carregado, nevoento, azul acinzentado, cor-de-pomba, para que estalasse, para que aquela cápsula pesada e plúmbea se rasgasse e desabasse com o tiro e, ao desmoronar-se, esmagasse e soterrasse tudo, tudo, o mundo inteiro com todos os seus horrores, maçadas, estardalhaços e maus cheiros. Jonathan Noel sentia nessa tarde um ódio tão miserável, tão titânico que, se pudesse, teria reduzido o mundo a escombros e cinza por causa de um buraco nas calças!

Mas não fez nada, graças a Deus não fez nada! Não disparou para o céu nem para o café em frente nem para os carros que passavam. Ficou de pé, transpirando, e não se mexeu. Porque a mesma força que permitira que nele irrompesse aquela fúria fantástica e que a arremessara contra o mundo, através dos seus olhos, o paralisou tão completamente que não o deixou mexer um membro e ainda muito menos levar a mão à arma ou dobrar o dedo e puxar o gatilho, tão completamente que nem lhe permitiu sequer abanar a cabeça para sacudir uma gotinha de suor importuna, da ponta do nariz. A força petrificou-o. Transformou-o de facto, durante essas horas, na imagem intimidante e impotente de uma esfinge. Assemelhava-se um pouco à tensão eléctrica que magnetiza um núcleo de ferro e o mantém a pairar, ou à formidável pressão que aguenta a abóbada de um edifício e prende magicamente cada pedra a um lugar fixo. Era conjuntiva. Todo o seu potencial residia em «se eu fosse, se eu pudesse, se eu fizesse», e Jonathan, que em espírito formulava as piores ameaças e maldições conjuntivas, sabia muito bem que nunca as concretizaria. Não era homem para isso. Não era um doido que cometesse um crime por compulsão psíquica, por desvario mental ou por ódio espontâneo; não porque o crime lhe parecesse moralmente condenável, mas apenas por ser de todo incapaz de se *expressar* através de actos ou através de palavras. Não agia. Sofria.

Por volta das cinco da tarde achava-se num tal estado de desolação que julgou que já não conseguiria sair de ao pé da coluna do terceiro degrau de acesso ao banco, e que teria de morrer ali. Sentia-se pelo menos vinte anos mais velho e vinte centímetros mais baixo, derretido ou desgastado pelas longas horas de exposição ao calor solar exterior e ao calor da sua fúria íntima, sim, talvez desgastado, pois a humidade do suor já ele não a notava, desgastado e corroído pelas intempéries, queimado e fendido como uma esfinge de pedra após cinco milénios; e não faltaria muito para que ficasse completamente ressequido e ardido e mirrado e esboroado e feito em pó ou em cinza e repousasse ali, naquele mesmo lugar onde já mal se aguentava nas pernas, reduzido a um pequeníssimo montão de lixo, até que o vento o viesse dispersar ou a empregada da limpeza varrer ou a chuva lavar e levar. Sim, o seu fim seria esse: não acabaria os seus dias como um respeitável senhor de idade, pensionista, instalado em casa na sua cama no seu próprio quarto, mas ali, às portas do banco, como um pequenino montão de lixo! E desejou ver chegado o momento; que o processo de decomposição se acelerasse e tudo terminasse. Desejou poder perder os sentidos, dobrar os joelhos e sucumbir. Esforçou-se com toda a sua energia por perder os sentidos e sucumbir. Em criança conseguia fazer coisas destas. Conseguia chorar sempre que queria;

conseguia suster a respiração até desmaiar, ou parar o coração durante o tempo de uma pulsação. Agora já não era capaz. Já não se dominava. Já não era literalmente capaz de curvar os joelhos para se deixar cair. Só conseguia continuar ali, de pé, à espera do que acontecesse.

Ouviu então o ligeiro sussurrar da limusina do senhor Roedels. Não o buzinar, mas apenas o leve sussurro que o carro fazia ao deslocar-se do pátio interior para o portão, logo a seguir a o motor ter sido ligado. E quando o débil ruído lhe alcançou os ouvidos e penetrou neles e lhe zuniu através de todos os nervos do corpo, como um choque eléctrico, Jonathan sentiu as articulações estalarem e a coluna vertebral esticar-se. E notou que, sem qualquer interferência da sua parte, a perna direita, que estava estendida, se aproximava agora da esquerda, o pé esquerdo rodava sobre o calcanhar, o joelho direito se flectia para dar um passo, e depois o esquerdo, e de novo o direito... e descobriu-se a colocar um pé à frente do outro, a andar de facto, a correr, a descer, saltando, os três degraus, a caminhar com passos elásticos ao longo da parede até ao portão, a levantar a grade, a pôr-se em sentido, a levar energicamente a mão direita à pala do boné e a deixar sair a limusina. Fez tudo isto automaticamente, involuntariamente, e a participação da sua consciência limitou-se a uma simples tomada de conhecimento, ao mero registo dos movimentos e das manobras. O único verdadeiro contributo de Jonathan para a operação foi, à passagem da limusina do senhor Roedels, lançar-lhe um olhar furioso e proferir uma série de maldições silenciosas.

Porém, ao regressar ao seu posto, até o ardor da fúria, esse derradeiro impulso próprio, se extinguiu dentro dele. E, enquanto escalava mecanicamente os três degraus, o último resto de ódio esgotou-se, e, quando atingiu o cimo, os seus olhos já não despediam veneno nem raiva mas olhavam para baixo, para a rua, com uma expressão alquebrada. Era como se os olhos já não fossem os seus, como se estivesse instalado atrás dos seus olhos e olhasse para fora, através deles, como através de janelas redondas e mortas; sim, era como se o corpo que o envolvia já não lhe pertencesse e como se ele, Jonathan — ou o que dele restava —, não passasse de um minúsculo gnomo engelhado, metido na gigantesca carcaça de um corpo estranho, não passasse de um anão indefeso, preso no interior de uma máquina humana demasiado complicada e que já não conseguia dominar e governar à sua vontade, mas que era governada por si mesma ou por quaisquer outras forças, se é que alguma coisa a governava. Nesse momento encontrava-se parada, junto à coluna — já não como uma esfinge, repousando em si própria, mas arrumada ou pendurada, como uma marioneta —, e ali continuou durante os últimos dez minutos do seu horário de serviço, até que às dezassete horas e trinta em ponto o senhor Vilman assomou por um instante à porta exterior de vidro blindado e gritou «Vamos fechar!». Então a máquina humana, a marioneta Jonathan pôs-se briosamente em movimento e entrou no banco, postou-se junto ao painel de comando do sistema de trincos eléctricos, ligou-o e foi carregando alternadamente nos dois botões que accionavam uma após outra as portas de vidro blindado interior e exterior, para deixar sair os empregados; fechou depois, juntamente com a senhora Roques, a porta corta-fogo que dava acesso à casa-forte, que já fora previamente fechada pela senhora Roques e pelo senhor Vilman, ligou, juntamente com o senhor Vilman, o sistema de alarme, tornou a desligar o sistema de trincos eléctricos, abandonou o Banco, juntamente com a senhora Roques e o senhor Vilman, e, após o senhor Vilman ter trancado a porta interior de vidro blindado e a senhora Roques a exterior, fechou a porta de lagarto, como lhe competia. Em seguida fez uma vénia curta e seca à senhora Roques e ao senhor Vilman, abriu a boca para desejar a ambos uma boa tarde e um bom fim-de-semana, escutou, agradecendo, os votos de um bom fim-de-semana, do senhor Vilman, e um «Até segunda-feira!», da senhora Roques, aguardou ainda, cortêsmente, que ambos se afastassem alguns passos, e incorporou-se na corrente de peões que se movia em sentido contrário, para se deixar levar para longe dali.

Andar acalma. A marcha possui uma virtude salutar. O acto de colocar regularmente um pé à frente do outro, acompanhado pelo balançar cadenciado dos braços, a aceleração do ritmo respiratório, a ligeira estimulação do pulso, as actividades da vista e do ouvido necessárias à manutenção do equilíbrio — são acções que impelem o corpo e o espírito para uma convergência irresistível, permitindo que a alma, por muito atrofiada e traumatizada que esteja, cresça e se expanda.

Foi o que aconteceu ao duplo Jonathan. Pouco a pouco, passo a passo, o gnomo que habitava o corpo do enorme boneco foi crescendo até atingir o tamanho do seu invólucro, preencheu-o, dominou-o e, finalmente, identificou-se com ele. Aconteceu mais ou menos à esquina da Rue du Bac. E Jonathan atravessou a Rue du Bac (a marioneta Jonathan teria decerto cortado automaticamente à direita e seguido o itinerário habitual para a Rue de la Planche) e deixou à esquerda a Rue de Saint-Placide, onde ficava o hotel, continuando em frente até à Rue de l'Abbé Grégoire e subindo esta até à Rue de Vaugirard, de onde se dirigiu para o Jardin du Luxembourg. Entrou no parque, meteu pelo caminho periférico, o mais longo e o preferido dos *joggers*, sob as árvores e rente à vedação, e percorreu-o três vezes; virou depois para sul e subiu o Boulevard de Montparnasse até ao cemitério de Montparnasse, deu uma, duas voltas ao cemitério e continuou para ocidente, pelo décimo-quinto bairro, atravessou o bairro inteiro até ao Sena e foi seguindo pela margem, rio acima, para nordeste, rumo ao sétimo bairro e depois ao sexto, e continuou a andar sempre, sempre em frente — há tardes de Verão assim, intermináveis — e depois dirigiu-se outra vez para o Luxembourg e, quando lá chegou, o parque estava precisamente a fechar. Parou diante das grades do enorme portão, à esquerda do edifício do Senado. Seriam cerca de nove horas mas ainda era praticamente de dia. A noite próxima adivinhava-se apenas pela ligeira coloração dourada da luz e pela orla violeta das sombras. O trânsito automóvel na Rue de Vaugirard rarefizera-se e tornara-se quase esporádico. A multidão escoara-se. Os pequenos grupos reunidos junto às saídas do parque e a uma ou outra esquina dipersavam rapidamente e os seus componentes desapareciam sozinhos nas inúmeras ruelas em torno do Odéon e da igreja de Saint-Sulpice. Ia-se tomar um aperitivo, ia-se ao restaurante, ia-se para casa. No ar suave pairava um leve cheiro a flores. Tudo serenara. Paris comia.

Subitamente Jonathan apercebeu-se de quanto estava cansado. As pernas, as costas, os ombros doíam-lhe das longas horas de marcha, os pés ardiam-lhe dentro dos sapatos. E sentiu de repente uma fome tamanha que lhe provocou cãibras no estômago. Apeteceu-lhe uma sopa, salada acompanhada de pão branco, fresco, e um pedaço de carne. Conhecia um restaurante muito próximo dali, na Rue de Canettes, que servia um menu completo por quarenta e sete francos e cinquenta, incluindo o serviço. Mas nem pensar em lá entrar naquele estado, transpirado e malcheiroso, e com as calças rasgadas.

Pôs-se de novo em marcha e dirigiu-se para o hotel. De caminho, na Rue d'Assas, havia uma loja tunisina que vendia de tudo. Ainda estava aberta. Comprou uma lata de sardinhas de conserva, um queijinho de cabra, uma pera, uma garrafa de vinho tinto e um pão árabe.

O quarto de hotel era ainda mais pequeno do que o quarto da Rue de la Planche; do lado da entrada pouco mais largo era do que a porta, e media uns três metros de comprimento, no máximo. Claro que as paredes não formavam entre si ângulos rectos; divergiam — vistas da porta —, afastando-se até atingirem uma largura de cerca de dois metros, e aproximavam-se depois rapidamente, juntando-se do lado oposto, numa espécie de ábside triangular. O quarto tinha portanto o feitio de um caixão, e não era muito mais espaçoso do que um caixão. A cama ocupava uma das paredes longitudinais, na outra encontrava-se o lavatório, por baixo um bidé de caixa, e na ábside havia uma cadeira. À direita, por cima do lavatório e quase rente ao tecto, ficava a janela, ou melhor, um minúsculo postigo envidraçado que dava para um saguão e que se podia abrir e fechar com o auxílio de dois cordões.

O postigo permitia que uma fraca corrente de ar quente e húmido penetrasse no caixão, trazendo do exterior alguns ruídos já muito amortecidos: o entrechocar de pratos, o fluxo dos autoclismos, farrapos de palavras espanholas e portuguesas, uma ou outra gargalhada, o choramingar de uma criança e às vezes, de muito longe, o som de uma buzina de automóvel.

Jonathan sentara-se à beira da cama, em cuecas e camisola interior, e comia. Improvisara uma mesa puxando para junto de si a cadeira, colocando-lhe em cima a mala de papelão e estendendo sobre ela o saco em que trouxera as compras. Cortava os lombos de sardinha ao meio, transversalmente, espetava as metades com a ponta do canivete, guarnecia pedacinhos de pão e metia os bocados na boca. Ao mastigar, o peixe mole e ensopado em azeite misturava-se com a massa insípida do pão, formando uma pasta com um sabor delicioso. Faltam talvez umas gotas de limão, pensara a princípio — mas isso fora quase uma frivolidade culinária, pois, quando a seguir a cada bocadinho bebia um pequeno golo de vinho, pela garrafa, deixando-o espalhar-se na língua e circular entre os dentes, o travo metálico do peixe combinava-se com o aroma estimulante e ligeiramente ácido do vinho de uma maneira tão feliz que Jonathan se convencia de que nunca na sua vida comera tão bem como naquele preciso momento. Na lata havia quatro sardinhas que deram para oito bocadinhos que mastigou cuidadosamente com o pão e acompanhou com oito golos de vinho. Comeu muito devagar. Lera em tempos, numa revista, que comer depressa, especialmente quando se sentia muita fome, não era saudável e podia provocar indigestões e até enjoo e vómitos. Mas também comeu devagar porque estava convencido de que aquela seria a sua última refeição.

Depois de ter comido as sardinhas e molhado o pão no resto de azeite que ficara na lata, comeu o queijo de cabra e a pera. A pera era tão sumarenta que quase lhe fugiu das mãos, ao descascá-la, e o queijo era tão compacto e aderente que se lhe agarrou à lâmina do canivete, e deixou-lhe um gosto tão ácido e acre e uma tão súbita secura na boca que as gengivas se contraíram, com o choque, e o afluxo da saliva, por momentos, cessou. Mas a seguir veio a pera, um pedaço de pera doce, a escorrer sumo, e tudo se tornou a dissolver, misturando-se e desprendendo-se do palato e dos dentes e escorregando para a língua e para baixo... e mais um pedaço de queijo, um ligeiro choque, e mais um pouco de pera reconciliadora, e mais queijo e mais pera — soube-lhe tão bem que rapou os últimos resíduos de queijo do papel, com o canivete, e acabou por comer os cantinhos do coração do fruto, que antes cortara e rejeitara.

Permaneceu ainda algum tempo sentado, profundamente absorto nos seus pensamentos e passando a língua pelos dentes, antes de se decidir a comer o resto do pão e a beber o resto do vinho. Em seguida pegou na lata vazia, nas cascas da pera e no papel do queijo e embrulhou tudo no saco, juntamente com as migalhas de pão, depositou o lixo e a garrafa vazia no canto, atrás da porta, retirou a mala de cima da cadeira, arrumou a cadeira no seu lugar, na ábside, lavou as mãos e foi para a cama. Enrolou o cobertor de lã aos pés da cama e tapou-se apenas com o lençol. Depois apagou o candeeiro. A escuridão era completa. Não penetrava no quarto um único raio de luz, nem sequer pela fresta, lá no alto, só a fraca corrente de ar quente e húmido e os ruídos vindos de muito, muito longe. A atmosfera era sufocante. «Amanhã mato-me», disse. E adormeceu.

De noite houve uma trovoada. Não uma daquelas trovoadas cuja energia se descarrega imediatamente com uma série de relâmpagos e de trovões, mas uma daquelas trovoadas que se vão protelando e reprimindo durante muito tempo. Levou duas horas errando pelo céu esquiva e indecisa, faiscando discretamente, murmurando baixinho, arrastando-se de uma zona da cidade para outra como se não soubesse onde se concentrar, porém alastrando, crescendo cada vez mais até acabar por cobrir toda a cidade como um fino tecto de chumbo, e continuar na expectativa, acumulando ao hesitar uma tensão e um potencial sempre maiores, mas sem se resolver a rebentar... Nada se agitava debaixo daquele tecto. Não corria a mais leve aragem na atmosfera abafada, não bulia uma folha, um grão de pó, a cidade jazia como que transida, tremia de transe, por assim dizer, tremia sob aquela tensão paralisante, como se fosse ela a trovoada e estivesse à espera de explodir contra o céu.

E então, finalmente, já era madrugada e começava a clarear, houve um estoiro, um só, tão violento como se a cidade inteira tivesse ido pelos ares. Jonathan deu um salto na cama. Não ouvira conscientemente o estampido e muito menos reconhecera nele um trovão, fora pior. No preciso instante em que acordara, invadira-o um sensação de puro horror, um horror cuja causa não sabia explicar, um medo de morte. Ouvia apenas a ressonância do estoiro, o eco e o ribombar repetido do trovão. Parecia-lhe que lá fora as casas se desmoronavam como estantes de livros, e o seu primeiro pensamento foi: Chegou o momento, é o fim. E não pensava só no seu próprio fim, mas no fim do mundo, na grande catástrofe, num terramoto, na bomba atómica ou em ambos — de qualquer maneira no fim absoluto.

Mas a seguir fez-se um silêncio sepulcral. Já não se ouvia o ribombar, o ruir, o estalar, o nada nem o eco do nada. E este silêncio súbito e persistente era ainda muito mais pavoroso do que o estertor do mundo agonizante. Porque se Jonathan tinha agora a impressão de continuar de facto a existir, tinha também a impressão de que para além dele nada mais existia, não havia outra coisa por onde se pudesse orientar. Todas as suas faculdades perceptivas, a vista, o ouvido, o sentido do equilíbrio — tudo o que lhe teria podido dizer onde estava e quem era — se afundavam no vazio total das trevas e do silêncio. Apercebia-se apenas do galopar do seu próprio coração e do tremer do próprio corpo. Sabia apenas que se encontrava numa cama, sem saber em que cama nem onde ficava essa cama — se é que ficava nalgum sítio, se é que não se ia precipitando algures num abismo, pois dir-se-ia balançar —, e fincou os dedos no colchão e agarrou-se-lhe, para não cair, para não perder essa única coisa que conservava nas mãos. Procurou com os olhos um apoio na escuridão, com os ouvidos um apoio no silêncio, não ouviu nada, não viu nada, absolutamente nada, o estômago revoltava-se-lhe com o balanço, veio-lhe à boca um gosto repugnante a sardinha, «não podes enjoar», pensou, «não podes vomitar, numa altura destas não te podes lançar também fora a ti mesmo!»... e então, depois de um terrível momento que lhe pareceu uma eternidade, eis que vislumbrou qualquer coisa, um raiar muito ténue lá no alto, à direita, uma restiazinha de luz. E cravou nela os olhos e agarrou-se-lhe, àquela fronteira entre o dentro e o fora, uma espécie de janela num quarto... mas em que quarto? Este não era o *seu* quarto! Este nunca foi o teu quarto! No teu quarto a janela fica logo acima dos pés da cama, e não tão perto do tecto. Não... também não é o quarto em casa do tio, é em casa dos pais, é o quarto das crianças em Charenton — não, o quarto das crianças não, é a cave, isso, a cave, estás na cave da casa dos pais e és uma criança, apenas sonhaste que tinhas crescido, que te tinhas tornado velho e horroroso e guarda em Paris, mas és uma criança, e estás sentado na cave da casa dos pais, e lá fora é a guerra, e encontras-te preso, soterrado, esquecido. Por que é que não vêm? Por que é que não me salvam? Porquê este silêncio de morte? Onde é que estão os outros? Meu Deus, onde é que estão as outras pessoas? Que eu não posso viver sem as outras pessoas!

Queria gritar. Ia gritar aquela frase no meio do silêncio, que afinal não podia viver sem as outras pessoas, tão grande era a sua aflição, tão desesperado era o medo que a velha criança Jonathan Noel sentia da solidão. Porém, no instante em que se preparava para gritar, obteve resposta. Ouviu um ruído.

Algo que batia. Muito ao de leve. E voltava a bater. E batia uma terceira vez e uma quarta, algures lá no alto. E depois o bater tornou-se um tamborilar regular e débil e cresceu pouco a pouco, sempre mais forte, até já não ser um tamborilar mas um rumor vigoroso e cheio, e Jonathan reconheceu o rumor da chuva a cair.

Nessa altura o espaço em seu redor reorganizou-se e Jonathan identificou a pequena mancha clara e quadrangular como o postigo que dava para o saguão e distinguiu, na penumbra do alvorecer, os contornos do quarto de hotel, o lavatório, a cadeira, a mala, as paredes.

Soltou as mãos do colchão, aonde continuavam agarradas, encolheu as pernas, até quase lhe tocarem no peito, e abraçou os joelhos. Permaneceu assim sentado, dobrado sobre si mesmo, durante muito tempo, talvez meia hora, escutando o ruído da chuva.

Depois levantou-se e vestiu-se. Não precisou de acender o candeeiro, bastou-lhe a luz da madrugada. Pegou na mala, no sobretudo, no guarda-chuva e abandonou o quarto. Em baixo, na recepção, o porteiro da noite dormia. Jonathan passou por ele em bicos de pés e premiu o botão do trinco da porta rapidamente, para não o acordar. Ouviu-se um ligeiro «clic» e a porta abriu-se. Saiu para a rua, para o ar livre.

Na rua foi envolvido pela luz fria, acinzentada da manhã. Já não chovia. Só escorriam uns pingos dos telhados e caíam umas gotas das marquises e os passeios estavam cobertos de poças. Jonathan desceu a Rue de Sèvres. Não se avistavam pessoas nem carros. As casas tinham uma aparência tranquila e modesta, um ar de inocência quase enternecedora. Dir-se-ia que a chuva, ao lavá-las, lhes retirara a arrogância, a ostentação postiça, todo o seu carácter ameaçador. Do outro lado da rua, junto à secção de produtos alimentares do Bon Marché, um gato esgueirou-se ao longo das montras e desapareceu debaixo das bancas de hortaliça vazias. À direita, na Square Boucicaut, as árvores molhadas estalavam. Dois ou três melros começaram a assobiar, o assobio ecoava nas fachadas dos edifícios e acentuava ainda mais o silêncio que pairava sobre a cidade.

Jonathan atravessou a Rue de Sèvres e virou para a Rue du Bac, para ir para casa. A cada passo que dava, as solas encharcadas dos sapatos patinhavam no asfalto alagado. É como andar descalço, pensou, e pensava mais no som produzido do que na impressão escorregadia da humidade nos sapatos e nas meias. Sentiu uma vontade enorme de tirar os sapatos e as meias e de caminhar descalço, e não o fez unicamente por preguiça e não porque lhe parecesse menos próprio. Mas foi patinhando pelas poças, no meio das poças, aos ziguezagues de poça para poça, sem se cansar, e mudou mesmo uma vez de passeio, ao descobrir do outro lado da ruma uma poça especialmente apetitosa e larga, e marchou por ela com os pés rígidos, a chapinhar, salpicando aqui as montras das lojas, além os automóveis estacionados, e até as pernas das calças, era delicioso, gozou esta pequena brincadeira de garoto como uma grande liberdade reconquistada. E ainda transbordava de entusiasmo e de felicidade quando chegou à Rue de la Planche, entrou no prédio, passou lestamente pelo cubículo fechado da senhora Rocard, atravessou o pátio e subiu a estreita escada de serviço.

Só lá em cima, já perto do sexto andar, é que teve medo do fim do caminho: lá em cima esperava-o a pomba, o bicho tremendo. Estaria certamente pousada ao fundo do corredor, com as patas de garras vermelhas, à espera, rodeada por dejectos e penas esvoaçantes, com o seu olho terrível e nu, a pomba, e erguer-se-ia com um seco bater de asas e roçá-las-ia nele, Jonathan, impossível esquivar-se-lhe num espaço tão apertado...

Pôs a mala no chão e parou, embora apenas lhe faltasse subir cinco degraus. Não queria desistir. Só queria descansar durante um breve minuto, recuperara um pouco o alento, acalmar um pouco o coração, antes de partir para a etapa final.

Olhou para trás. Seguiu com os olhos as espirais ovaladas do corrimão que desciam até às profundezas do vão da escada, e viu, em cada piso, os raios da luz rasante. A luz da manhã perdera a sua tonalidade azulada e tornara-se mais amarela e quente, pareceu-lhe. Ouviu os primeiros sons do prédio que despertava: o entrechocar de chávenas, o bater abafado da porta de um frigorífico, música de rádio, em surdina, provenientes das casas elegantes. E de súbito sentiu nas narinas um aroma familiar, o aroma do café da senhora Lassalle, e aspirou-o várias vezes, e foi como se estivesse a bebê-lo. Pegou na mala e avançou. De repente deixara de ter medo.

Assim que chegou ao corredor, notou imediatamente duas coisas: a janela fechada e, sobre a pia junto à porta da retrete comum, um esfregão estendido a secar. Não conseguia ainda ver o fundo do corredor, o deslumbrante bloco de luz que brilhava junto à janela cortava-lhe a visão. Continuou a avançar mais ou menos destemidamente, atravessou a luz e penetrou na sombra por detrás. O corredor estava completamente vazio. A pomba desaparecera. As nódoas do chão tinham sido limpas. Nem uma peninha, nem a mais leve penugem se agitava nos ladrilhos vermelhos.